丸暗記なしで身につく

見る
英単語

刀祢雅彦 Masahiko Tone

イラスト 河南好美

明日香出版社

はじめに

「英語は語彙力」とわかってはいても,たくさんの英単語をおぼえるのって大変ですよね。何度も辞書を引いたり,単語集にいっぱいしるしをつけたりして,ひとつひとつおぼえようとしてもなかなかうまくいかない,そう感じている人が多いのではないでしょうか。

　むずかしい単語をおぼえるのも大変ですが,使い方がすごくたくさんある前置詞や基本的な動詞,そしてまるで関係がないように見えるいくつもの意味を持つ単語,いわゆる「多義語」にも手をやいている人が多いのではないでしょうか。

　一見抽象的に見える単語の意味も,さかのぼれば絵や図に描けるような具体的なイメージにたどりつけることがよくあります。

　この本がめざすのは,個々の単語や意味をただひたすらバラバラにおぼえようとするのではなく,単語と単語,単語と意味,意味と意味を,目で見てわかるイメージイラストによってリンクしていくことです。

　この本には大学生レベル以上の単語や高度な意味・用法やもかなり載っていますが,イメージリンクを使って高度な知識をすでに知っている意味や単語とつないでいけば,あなたの英語の世界はぐんとひろがるはずです。最初から順に読んでいく必要はありません。気の向くまま,どこから読んでもらってもいいです。
（前についている□が小さい単語は頻度的にかなり難単語ですから,最初から全部おぼえようとかしないで気楽にながめるくらいでいいと思います。）

ふたつの思考法

　この本でみなさんに身につけてほしい重要な頭の使い方はふたつあります。

　ひとつめは,一見ばらばらで無関係に見えるものの<u>根っこにある共通のイメージを見つけ出し,それを中心としてばらばらだったものをリンクしていくという戦略＝「**総合的思考**」</u>です。

　たとえば,多義語・基本語編 p.22では,辞書には羅列されているだけのaboutのさまざまな意味を,その根本にあるひとつのイメージでまとめました。また語源編では一つの語根を共有する多くの語をリンクしてword familyにまとめています。

もうひとつの頭の使い方は,単語をひとつのかたまりとしておぼえるのではなく,それを構成する「部品」に分けてとらえること＝「分析的思考」です。

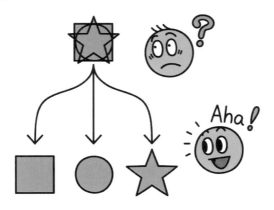

部品(＝語根)を確認したあとには,もう一度それを組み立てて一つの意味にまとめてみる(これは**総合的思考**)のも忘れないでください。

基本語・多義語をどうおぼえる？

　中学で習った「簡単な」単語のはずなのに,使いこなせない,意味がわからない,そんな経験はありませんか？
　じつは「基本語」であればあるほどたくさんの意味と使い方があります。とりわけ前置詞と基本的な動詞が大変ですね。
　たとえばみなさんはaboutという単語を知っていますか？
　giveはどうですか？
　ruleは？
　もちろん知っていますよね。

では次の英語はどんな意味ですか？

---

1. Life is **about** love.

2. The roof **gave** under the pressure.

3. white **ruled** paper

　これらはネットで検索するとわかるように，ごくありふれた表現ですが，全部すぐにわかるという人はわりと少ないかもしれません。また意味を知っていてもいったいなぜそんな意味になるのか言える人はもっと少ないでしょう。

　たくさんの意味の背後にある本来の意味・共通のイメージをつかめば，このような一見とっぴょうしもない意味や使い方でも，そのイメージにリンクさせることですんなりと頭にとりこむことができます。

（次のページをごらんください。about→p.22. give→p.63 , rule→p. 92）

漢字を忘れにくいのはなぜ？

　外国の人はよく日本人が何千もの漢字を覚えているのを不思議がります。漢字を覚えるのは確かに大変ですが,私たちはそんなに多くの文字をただ丸暗記しているのではありませんね。私たちがめったに日本語の単語を忘れないのは,日本語を長く使っているうちに無意識のうちに知識がリンクしてたくさんの単語ががっちりとネットワークになっているからでしょう。

　漢字は「かんむり」や「へん」などの「部品」からできていますね。そしてその部品の数はそんなに多くはありません。
　たとえば海,河,流,波,濡,溜などの「氵(さんずい)」は水や液体にかかわることを表していると,日本人ならだれでも知っていますね。そして「溜」は「氵(水)+留(とまる)だから『たまる』だ」とおぼえている人もいるでしょう。
　「鳴」は「鳥が口で声を出すことか！」とおぼえた人は,「鳴」の「鳥」の部分を「島」と間違うことはあまりないでしょう。

【さんずい】水や液体に関する字につく

リュウ

溜

た・まる／た・める

とまる／とどめる意味

　また日本語には漢字と漢字を組み合わせて作られた言葉が無数にあります。でもたとえば「再」の意味と「生」の意味を知っていれば,「再+生=再生」をおぼえるのは簡単ですね。さらには,再出,再会,再選,共生,寄生,生存……といくらでもおぼえられますね。
　SNSで「訃報」と書こうとして間違えて「朗報」と書いてしまう人がいるらしいですが,その人はきっと「朗」の字の意味を知らずに

「朗報」を丸暗記しているのでしょう。あるいは「明朗」「朗々」「晴朗」「朗らか」などと「朗報」があたまの中でリンクしていないのでしょうね。リンクが足りないのです。

英単語も漢字と同じ---語根でどんどん増えるword family

英単語にも漢字の組み合わせのようにできているものがたくさんあるのです。

英語には本来のゲルマン語に加えてラテン語やギリシャ語から取り入れた語源の部品＝「**語根**」がたくさんあります。

たとえばラテン語から来た *re*（再び）*viv*（生きる）を知っていれば, *re*＋*viv*＝revive「復活する」をおぼえるのはいとも簡単です。さらには, reboot, revenge, renovation そして survive, vivid, vivisection とどんどん仲間を増やせます。

後ろ向きに, 逆に, 再び

reboot
起動させる

revenge
罰する

renovation
新しい

（次のページをごらんください。*re*→p. 243, *viv*→p. 283)

語根を知れば単語の意味を忘れなくなる

　ある日,英単語の記憶法の授業で,ぼくは黒板に大きくトリケラトプスの絵を描きました。

　「これなんていう恐竜ですか?」と一人の学生さんにたずねると,すぐ「トリケラトプス」という答が返ってきました。「知ってた人?」と言うとクラスのほぼ全員が手をあげました。
　次にぼくは言いました。
「でもこのトリケラトプスには重大な間違いがある。このままじゃトリケラトプスとは言えないよ。間違いがわかる人いる?」
　だれも手をあげません。
「じゃあヒントです」と言って,ぼくは絵の下に

triceratops

と英語で書きました。
「わかった?」
　まただれも手をあげません。

「じゃあさらにおまけのヒント」と言ってぼくは書きました。

tricycle, triple, triangle

「はーい,わかった人？」
　今度はいっせいにたくさんの手があがりました。
　それは彼らの頭の中で知識がリンクした瞬間だったのです。

　彼らが *tri* の意味とトリケラトプスの角の数を忘れることはたぶんないでしょう。トリケラトプスの漢字表記「三角竜」を知っている人が角の数を間違わないのと同じように。
　トリケラトプスは *tri*＋*cerat*＋*ops*という 3 つの語根＝部品から成り立っていて,それぞれの部品にはちゃんと意味があります（→p. 273参照）。それらがまとまって一つの意味を表しているのです。

　単語のつづりを呪文のようにただ暗記しているのと,その部品の成り立ちを知っているのとでは大きな差があります。部品の意味を知れば,単語はすんなりと頭にはいり,そして忘れにくくなります。

語根を知ればつづりの間違いを減らせる

　ある知りあいのアメリカ人が「おれはスペリングには自信がある」と言うので,ぼくは「へー,じゃあミレニアムって書いてみて」と言いました。

　彼は **millenium** と書きました。

　「ほーらまちがえた。nは2個だよー」とぼくが言うと,彼はいらだってさけびました。"F□□k you!"

　もちろんぼくもつづりを間違うことはありますが, millennium は間違わない自信があります。なぜなら millennium が *mill*（千）+ *enni*（年）でできていることをおぼえているからです。

$$\text{mill}\underset{1,000}{\overset{\text{年}}{\text{ennium}}}$$

millennium

　enni（→p.114）にnがふたつあるのさえ知っていれば,これに関係するすべての単語のつづりを間違わなくなります。 例えば biennial「ビエンナーレ（2年に1度の美術展）」というむずかしい単語も, *bi*（2）+ *enni*（年）+ *al*（形容詞語尾）からできているのでだいじょうぶ。annual「年1回の」の *ann* も *enni* と同じ「年」なのでnがふたつあると自信を持っておぼえられます。

　こんなふうに,語根を正しくおぼえておけば,それをふくむ単語すべてのつづりのミスが防げます。漢字で言えば,ひとたび「疒」をしっかりおぼえれば,「痛」でも「疾」でも「痴」でも,上についている点を忘れることがなくなるのと同じです。

初めて見る難単語も見当がつく

　日本人が「泪」という漢字を初めて見たとしたらどうするでしょう？たぶん「氵」の意味と「目」の意味からこの字の意味を推理するのではないでしょうか。

　では、あなたは congenital という単語を見たことがありますか。頻度的にはかなり難しい単語です。この本の項目にもありません。もし初体験なら辞書を引く前に意味を考えてください。congenital heart disease とはどんな病気でしょう？

　わからないという人は *con* (→p.141) と *gen* (→p. 179) を見てからもう一度考えてください。それから辞書を引いてください。

　それでは、大きく目を開いて英単語のイメージの世界へと旅立ちましょう！

見る英単語

1 多義語・基本語編

見る英単語

2 語源編

カバーデザイン　　　：krran　西垂水敦・市川さつき
本文デザイン　　　　：石澤義裕・藤田知子
カバー・本文イラスト：河南好美
イラスト原案　　　　：刀祢雅彦

丸暗記なしで
身につく

見る
英単語

1 多義語・基本語編

about [əbáʊt]

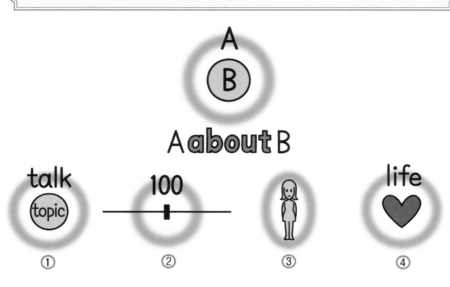

A about Bは「AがBのまわりに（ぼんやりと）広がって」。つまりAは「周辺」
でBはその「中心」という関係だ。この関係に注目すればaboutの一見ばらば
らな意味は共通のイメージでとらえることができる。

① talk about the topic 「その話題について話す」
   ★「話題をめぐって」が直訳。

② about one hundred 「およそ100」
   ★100の周辺, つまり「100前後」の意味。

③ There is something mysterious about her.
   「彼女には謎めいたふんい気がある。」
   ★彼女のまわりにいわゆる「オーラ」がただよっているイメージだ。

④ Life is about love. 「人生で最も大切なのは愛だ。」
   ★④ は「人生は愛のまわりにある」→「人生の中心は愛」という発想。次のようなaround
   の使い方とも比べてみよう。 cf. He believes that the world revolves around him.
   「彼は何でも自分が中心だと思っている。」

account [əkáʊnt]

経費の内訳を説明しているところをイメージしよう。accountの語源は*ac*（＝ad 対して）＋*count*（計算する）。A account for Bは①「A（人）がBの内訳を算出する」→②「AがBを説明する・報告する」と発展，さらに物が主語となり③「AがBの原因である」に広がる。また「内訳」の部分からA account for B ④「AがB（比率）を占める」が生まれる。名詞 accountも「計算書，明細」から「（勘定→）考慮，（取引の明細が入った）口座，説明」などに多様化する。ネットで使われる「アカウント」は「口座」からの発展。そこに自分の情報の明細が入っているわけだ。

① account for the costs 「支出の明細を出す」
② account for the fact 「その事実を説明する」
③ His hard work accounts for his success 「彼の努力が成功の原因だ。」
④ Labor accounts for half the cost. 「人件費がコストの半分を占める。」

across [əkrɔ́(ː)s]

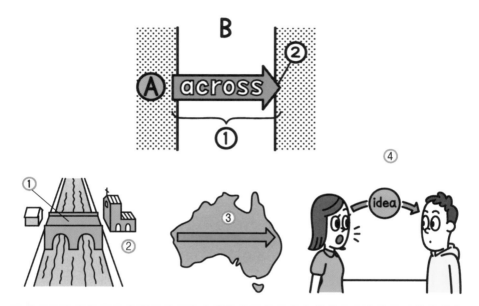

A across B は A が B（場所・距離）を横切ってその向こうに達することを意味する。①のように横切る場所（経路）が意識される場合と，②のように横切って達する向こう側の地点（終端）が意識される場合とがある。

① a bridge across the river 「川にかかる橋」
② the church across the river 「川の向こう側の教会」

また端から端まで横切るという意味から，「〈国や地域〉全域にわたって」の意味に発展する。
③ cities across Australia 「オーストラリアじゅうの都市」

　さらに相手との距離を越えて考えを伝えるイメージも表す（副詞用法）。
④ try to get the idea across to him 「考えを彼に分からせようとする」

24

admit [ədmít]

いやな事実

③

語源は *ad*（＝to）＋*mit*（送る）。人に入場・入学を認めるという意味と, 自分の誤りなど好ましくない事実を（しぶしぶ）認めるという意味がある。どちらも「受け入れる」というイメージは共通だ。

① I was admitted to Harvard.「私はハーヴァード大に入学許可された。」
② He was admitted to the hospital.「彼は病院に入れられた〔入院した〕。」
③ She finally admitted the fact.「彼女はやっとその事実を認めた。」
　★allow や permit と違って一般的な許可の意味では使うことはできない。

☐ **admission**[ədmíʃən]　名 入場〔入学, 入所〕許可

at [ət]

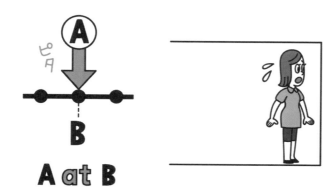

A at B

A at Bは「Aが点Bにピタリと止まる・合う」というイメージ。

① **This train will stop at Shin-Yokohama.** 「この列車は新横浜に止まります。」

右のイラストは行き止まりの地点(dead end)で立ち止まっているイメージ。この dead endが抽象語lossと置きかえられた表現がat a lossだと考えればよい。

② **I was at a dead end in my career.** 「私は仕事で行き詰まっていた。」

③ **He was at a loss what to do.** 「彼はどうしていいかわからず途方にくれた。」

aim **at** A 「Aをねらう」, look **at** A 「Aを見る」(→p.71)も視線がAに止まることを意味する。

④ **aim (a gun) at the target** 「(銃で)標的をねらう」

⑤ He is in his home. 「彼は家の中にいる。」
⑥ He is at home. 「彼は在宅している。」

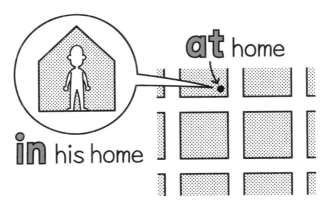

⑤ではinによって家を容器とみなし，彼が家の外部ではなく内部にいることを表す。一方⑥では家を点とみなし，彼が（会社でも飲み屋でもなく）家にいることを表す。このようにatは場所の大きさや内外を無視して点とみなす（いわば0次元化）働きがある。

この働きは時間を表すときも同じだ。
⑦ sleep at night 「夜には眠る」
⑧ wake up three times in the night 「夜の間に3度目が覚める」

⑦では（眠っているので）時の長さを意識せず，夜を時点のようにとらえているのに対し，⑧では（目覚めているので）夜の長さを意識し，期間（＝範囲）として認識している。

in→p.65

bear [béə]

女性がおなかの重さに耐えて赤ちゃんを持ち運び，そして産むイメージだ。

① bear a heavy load 「重い荷物を持つ」
② bear a resemblance 「類似性を持つ(＝似ている)」
③ airborne virus 「空気で運ばれるウイルス」
　　★borneはbearの過去分詞。
④ cannot bear the thought of losing him 「彼を失うと思うと耐えられない」
⑤ bear a child 「子供を産む」
⑥ bear fruit 「実をむすぶ」

beyond [biànd]

A beyond Bは「AがB（限界・境界）より向こうにある」。そこから「B（能力）を越えて」,「Bするのが不可能」という意味に発展する。A be beyond B（人）では「AはBには無理, 理解不能」の意味になる。

① beyond the horizon「地平線の向こうに」
② The situation is beyond our control.「状況は私たちの手に負えない。」
③ The task is beyond me.「その仕事は私には無理だ。」

★他にbeyond A's reach [power, ability, means]「Aの手がとどく範囲〔力, 能力, 経済力〕を越えている」, beyond repair [recognition, understanding]「修復〔識別, 理解〕できない」, beyond description「言葉で言い表せない（ほどよい/ひどい）」, beyond compare「比類がない（ほどすばらしい）」などがある。

board [bɔ́əd/bɔ́:d]

「板」の意味から「テーブル」となり，①「テーブルにならんだ食事」②「テーブルにならんだ委員たち」と発展。さらに③「（乗り物の床板→）乗った状態」と広がる。

① pay for room and board「部屋代と食事代を払う」
② a school board「教育委員会」
③ Everyone on board is alive.「乗客は全員無事だ。」

□ **aboard** [əbɔ́əd|əbɔ́:d] 副 乗り物に乗って　★a＝on。
　　例 Welcome aboard!「ご搭乗ありがとう」

bound [báʊnd]

bind「しばる」の過去分詞「しばられている」の意味から**be bound to V**「（V
すべくしばられている→）必ず V する，V するに違いない」に発展する。

① electrons bound to a nucleus 「原子核にしばりつけられた電子」
② We are all bound by the law. 「私たちはみな法にしばられている。」
③ He is bound to fail. 「彼はきっと失敗する。」

   ★the train bound for London 「ロンドンに向かう列車」のboundは別の語源の単語だが，
     ネイティヴスピーカーもあまり違いを意識していないようだ。

branch [brǽntʃ|bráːntʃ]

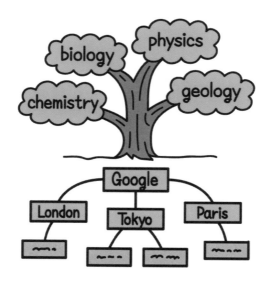

枝が分かれるイメージから「支流, 分野, 支店, 分校」などの意味に広がる。
「支」という漢字も「枝」の意味だ。

① the branches of the apple tree 「リンゴの木の枝」
② the French branch of Google 「グーグルのフランス支社」
③ the branches of science 「科学の諸分野」
　★動詞として使われると「枝分かれする, 分岐する」の意味になる。「広がって」を意味す
　　るoutといっしょに使われることが多い。
④ The road branches out into two paths there.
　　「その道路はそこでふたつの道に分かれる。」

break [bréɪk]

breakのイメージは①「〈つながっている物〉を**断ち切る〔切れる〕**」→「〈状態，関係など〉を**中断させる〔する〕**」，②「（ばらばらに）**破壊する〔壊れる〕**」，③「〈事件などが〉**突然起きる〔変化する〕**」と広がっていく。

① **break** the bad habit「悪い習慣を断ち切る」
② a) **break** the glass into pieces「コップをばらばらに割る」
　 b) **break** the law「法律を破る」
　 ◇ **break** the ice「話の口火を切る，場の緊張をほぐす」
　 ★沈黙や緊張を氷にたとえた表現。それをbreakして状況を変化させるという意味。
③ World War II **broke out**.「第二次大戦が勃発した。」

名詞では「**中断**」→「**休憩**」となる。"Have a break, have a Kit Kat."の**break**がこれ。

④ **Let's have a short break.** 「ちょっと休憩しよう。」

◇Give me a **break**. 「いいかげんにして，勘弁してよ。」

★不快なことやうそっぽい話をやめてほしいときに使うinformalな表現。この**break**は「休憩」の意味。「馬鹿も**休み休み**言え」という日本語に，ちょっと発想と意味が似ている。

障壁の一部が破壊されると，そこを通れるようになることから「**機会**」の意味が生まれた。

⑤ **She finally got a big break.** 「彼女はついに大きなチャンスを手に入れた。」

by [bái]

A by Bの基本は「AがBに寄りそって」。ここからby the rulesのように「〈ルール・基準〉にそって・従って」の意味が生まれる（ruleの原義は「定規」→p.92）。**by the** pound「ポンド単位で」などもこの用法の発展。

① Stand by me.「（直 そばに立っていて→）私を応援して。」
② play by the rules「規則にそって（公正に）やる」

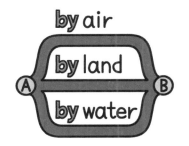

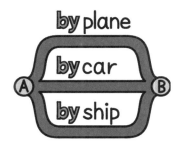

by way of Aは「Aを経由して」の意味だが，交通手段のbyもこのイメージでつかめる。地点AからBに行くのに，by air「空に寄って→空路で」，by land「陸に寄って→陸路で」，by water[sea]「水〔海〕に寄って→水路で」で経路を表す。この「空・陸・水」がそこで使われる交通手段に置きかえられたのがby plane, by car, by shipだと考えられる。通信手段などにもby mail, by telephoneのようにbyが使われる（交通も通信も同じ「運ぶ」手段だ）。手段のbyの表現の名詞は抽象化した意味なので無冠詞・単数形だ。

capital [kǽpət l]

capitalの*cap-*は「頭」の意味。① 国の頭に相当するのが「首都」(漢字の「首」も「頭」の意味)。② 文や名前の頭に使うのが「大文字」。③ ビジネスの「頭金」になるのが「資本」。④ 頭をちょん切る刑が死刑。cap「帽子」, captain「主将, 船長」も同じ語源。

① **What is the capital of Canada?** 「カナダの首都はどこか？」
　★Whereは使わない。
② **Proper nouns begin with a capital letter.** 「固有名詞は大文字で始まる。」
③ **the capital to start a business** 「ビジネスを始めるための資本」
④ **capital punishment** 「死刑」＝death penalty

☐ **capitalism** [kǽpɪtəlìzm] 名 資本主義
　◇ **per capita** 「ひとり当たり（GDP など）」
　★日本語でも「ひとり頭」と言う。
☐ **the Capitol** [kǽpət l] 名 アメリカの国会議事堂
　★capitalと語源も発音も同じ。「丘の頂（＝頭）に建つ神殿」の意味らしい。

charge [tʃáɚdʒ/tʃáːdʒ]

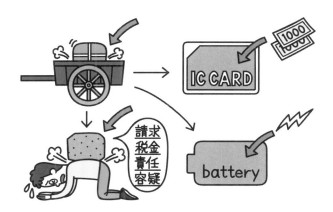

chargeの語源はラテン語のcarrus「荷馬車」でcarと同じ。原義は「〈荷物〉を車に積み込む, 載せる」。これがいろんなものをのせるという意味に広がった。「〈料金〉を請求する」,「〈責任・税金〉を課す」,「〈人〉を非難する」,「〈人〉を起訴する」などの意味にはすべて**人に重荷をのせる**という共通のイメージがある。「カードで払う」の意味も「カードに負担させる」ということ。また「〈電池〉に充電する」も「〈荷物を〉積み込む」にリンクしている。「〈ICカード〉にお金をチャージする」の意味でも(re) chargeを使うことがあるが, 会話ではput money on my card, add money to my cardなどでよい。

① charge the customer for bags「買い物客に袋代を請求する」
② The profits were charged with income tax.
　「その利益には所得税が課せられた。」
③ He was charged with murder.「彼は殺人罪で起訴された。」
④ I charged it to[on] my credit card.「私はそれをカードで払った。」
⑤ charge the battery「電池に充電する」
⑥ negatively charged particle「負の電荷を持つ粒子」
名詞としては「料金,（クレジットカードへの）請求, 責任, 容疑」などの意味があるが, すべて上で見たような意味が名詞化したもの。

challenge [tʃǽlɪndʒ]

数学の問題が人に「解けるならぼくを解いてみろ」と挑戦しているイメージ。challengeは日本人がイメージする「人がものにチャレンジする」より，逆に「ものが人の能力を試す，試練をあたえる」というイメージが重要だ。

① a major **challenge** for the government
　　「政府にとっての大きな難題〔試練〕」
② a **challenging** task 「(人に挑戦してくる→)難しい(がやりがいがある)課題」
③ physically **challenged** people
　　「(肉体的に試練をあたえられた人々→)身体障がい者」
　★「私はその問題にチャレンジした」は ×I challenged the problem. ではなく
　　○I tried [attempted] to solve the problem. などでいい。

動詞のchallengeは「〜に異議をとなえる」が最も多い使い方。それ以外に「〈人〉に勝負するよう誘う」がある。
④ She **challenged** the idea. 「彼女はその考えに異議をとなえた。」
⑤ He **challenged** me to a game of chess. 「彼は私をチェスの勝負に誘った。」

command [kəmǽnd]

司令官が高い場所から戦場を見渡して、部隊を指揮し、意のままに操るというイメージだ。名詞としては「命令」「意のままに操る能力」を意味する。

① The summit commands a fine view of the city.
「頂上から街がよく見える。」
　★「〈景色〉を見渡す」の主語には人でなく場所を使う。

② The President commands the armed forces. 「大統領は軍隊を指揮する。」

③ The king gave a command to everyone in the nation.
「王は全国民に命令を発した。」

☐ **commander**[kəmǽndə] 名 司令官

④ She has a good command of French. 「彼女はフランス語を上手に操る。」

commit [kəmít]

commitには①「〈罪・自殺・失敗など〉をする，犯す」と，②be committed to A，commit oneself to Aの形で「Aを誓う，Aに責任を持つ，献身する」という意味がある。共通するのは「自分を逃れられない状態に追い込む」というイメージだ。③「〈人を〉(逃げられない)場所[状態]に送る」という意味がそのイメージをよく表している。なおcommitのmit は「送る」という意味だ。

mit →p.211

① **commit** a serious crime「重大な罪を犯す」

② a) **We are committed to** providing quality drugs.
　　　「わが社は高品質な薬を提供することをお約束します。」

　 b) She **committed herself to** losing weight.
　　　「彼女は体重を減らすと誓った。」

③ The judge **committed** him to prison.「裁判長は彼を刑務所に送った。」

content 名[kántent] 形[kəntént]

「中身・内容」の意味から,「欲望が満たされている」→形「満足して」の意味に発展した。名「満足」,動「～を満足させる」もあり,動詞から派生したcontentedも「満足して」の意味。contentはcontainの派生語だ(**contain**→p.263)。本の中身=「目次」の意味もある。最近はメディアが提供する情報,特にインターネットの中の情報を指す用法が増えた。

① the contents of the bottle「ビンの中身」
   the contents of the book「本の目次」
② web content「ウェブコンテンツ」=Internet content
③ I'm content with the status quo.「私は現状に満足だ。」

コラム　　　　　　　**かわいい子はずるい？**

ディズニーの*Dumbo*で,おばさんゾウがダンボを見てDid you ever see anything so cunning?と言うシーンがある。このcunningは本来の「ずるい」ではなく「かわいい」という意味だ。これはまれな使い方らしいが, prettyも古英語では「ずるい」だったのに今は「かわいい, きれいだ」になっている。実はcuteも最初は「ずるい, 悪がしこい(clever)」という意味だった。「ずるい」と「かわいい」になにか関係があるのだろうか, それともこの3つは偶然の一致なのだろうか？日本のネットでは「可愛すぎてずるい」などの表現を見かけるが…

41

court [kɔ́ɚt|kɔ́:t]

「中庭」の意味からテニスなどの「コート」,「宮廷」, 建物の中の「広い空間」, また「法廷(裁判, 判事)」などの意味に。ちなみに「廷」という漢字も「庭」の意味。また宮廷内でよくある行為から「～の機嫌を取る, へつらう」,「～に求愛する」の意味も生まれた。

① the court of Queen Victoria 「ヴィクトリア女王の宮廷」
② the food court at the shopping mall 「ショッピングモールのフードコート」
③ Supreme Court 「最高裁判所」court-martial 「軍法会議」
④ court the media 「マスコミの機嫌を取ろうとする」

☐ **courtship** [kɔ́ɚtʃip] 名 (女性への)求愛
☐ **courteous** [kɔ́ɚtiəs] 形 (宮廷のような→)礼儀正しい, うやうやしい
☐ **courtesy** [kɔ́ɚtəsi] 名 (宮廷でのふるまい→)①礼儀正しさ ②好意, 優遇
☐ **curtsy** [kə́:tsi] 名 (高貴な人に女性がひざを曲げてする)おじぎ
　　★courtesyの変形。

42

crash [krǽʃ] vs. crush [krʌ́ʃ] vs. clash [klǽʃ]

日本人には発音も紛らわしいこの3つの語。crash[krǽʃ]は固い物体が自分のエネルギーで「ぶつかって激しく壊れる」こと,あるいは「固い物を破壊する」ことを表す。一方crush[krʌ́ʃ]は外から圧力を加えて押しつぶすという意味で,つぶれるものは柔らかいものが普通だ。紙などをしわくちゃにするときにも使う。またclash[klǽʃ]は,金属のような硬い物どうし,例えば剣と剣がぶつかり合うときの「カチーン」という感じの擬音から来た。そこから2つの集団,意見などが「衝突・対立する」ことを表すようになった。

★clang「カラン」,clink「カチン」,clank「チャリン」も金属的な音を表す。

① The two planes **crashed** into the Pentagon.
「その二機は国防総省に激突した。」

② I **crashed** my car into the tree. 「車を木にぶつけた。」

③ skin and **crush** tomatoes 「トマトの皮をむいてつぶす」

④ **crush** the rebellion 「反乱を鎮圧する」

　　★このような比喩的用法も多い。

　　◇**have a crush on** A 「A(人)に恋心を抱く」

⑤ **clashes** between police and demonstrators 「警察とデモ隊の衝突」

culture [kʌ́ltʃə]

「畑を耕す・栽培」の意味から「精神を耕す」→「文化・教養」へ。「栽培」の意味は動物にも拡大され「〜を養殖(する)」の意味も生まれた。

① aqua culture 「水耕法,水栽培」
② a person of culture 「教養がある人,文化人」=a cultured person
③ cultured pearls 「養殖真珠」

- [ ] **agriculture** [ǽgrɪkʌ̀ltʃə] 名 農業 (*agri* = 畑)
- [ ] **cultivation** [kʌ́ltəvéɪʃən] 名 ①耕作 ②(精神,知性などを)養うこと
- [ ] **horticulture** [hɔ́ətəkʌ̀ltʃə] 名 園芸(*horti* = 庭)
- [ ] **cult** [kʌ́lt] 名 カルト,崇拝(= 宗教で教育された)

コラム　キャタピラと猫

戦車などの「キャタピラ」Caterpillar (本来は商品名)の元の意味は「ケムシ/イモムシ」だ。くねくねした動きのイメージから名づけられたらしい。そしてcaterpillarの語源は*cater*(＝ cat)＋*pillar*(毛)＝「毛むくじゃらの猫」なのだ。

deliver [dɪlívə]

de (離して) + *liver* (=liber 自由)が語源。「〈持っているもの〉を手放す, 放出する」が基本的意味。ここから「〈演説〉をする, 〜を配達する, 〜を伝える, 〈赤ちゃん〉を分娩させる, 出産する, 引き渡す」などに多様化した。 *give*→p.63

① **deliver a speech** 「演説をする」= give[make] a speech
   ★日本語の「話す」も「放す, 離す」と同じ語源だ。
② **deliver** mail to your home 「あなたの家に郵便を配達する」
③ **deliver** a message to him 「彼にメッセージを伝える」=give a message...
④ **deliver** the thief to the police 「泥棒を警察に引き渡す」
⑤ **deliver** a baby 「赤ちゃんを産む〔分娩させる〕」
   ★あいまいなので文脈によって考えよう。

☐ **delivery**[dɪlívəri] 名 ①配達 ②出産 ③話し方
   ◇ **home delivery service** 「宅配」

different [dífənt]

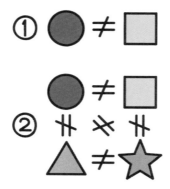

①はあるものが別のものと「違う」という普通の意味。②では，differentを3つ以上のものに対して使うと，互いに違うペアがいくつもあるので，結果として「さまざまな」の意味になる。（≠は「同じでない」の記号）

① I'm not trying to be different. To me, I'm just being myself. （J.Brown）
「私は(他人と)違おうとしているのではない。自分であろうとしているだけだ。」

② flowers of different colors「さまざまな色の花々」

③ Different people have different ideas.「人が違えば考えもさまざまだ。」
　　★different A ＋ different Bで「Aが違えばBも違う〔さまざまだ〕」を表せる。

discipline [dísəplən]

disciple[dɪsáɪpl]「弟子」が語源。師は弟子に①「規律・しつけ」をあたえ②「訓練・教育」し、「試練」や「おしおき」を課する。
「訓練（法）・教育」の流れから③「学問の分野」の意味が生まれる。

① maintain school discipline「学校の規律を保つ」
② discipline for the memory「記憶の訓練（法）」
③ various disciplines of science「科学のさまざまな分野」
　◇ **inter-disciplinary**「学際的な，いくつもの分野にまたがる」
　◇ **self-discipline**「自制心，自己訓練」

dismiss [dɪsmís]

「〈人〉を解雇する, 解散させる」の意味を知っている人は多いだろうが, 実は「〈考えなど〉を（価値がないとして）しりぞける, 無視する」の意味のほうが頻度が高い。いずれにせよ,「dis-（切り離して）＋ miss（送り出す）＝放り出す」というイメージは共通。 (dis→p.155 , miss→p.211 , fire→p.57)

① dismiss the idea as unimportant 「その考えを重要でないと無視する」
② dismiss the case 「その訴えを棄却する」
  ★Case dismissed.「本件の請求を却下する。」は裁判長が使う表現。
③ He was dismissed from the service.「彼は解任された。」
④ We are dismissed.「（会議などで）解散する。」 ★かたい表現。

doubt [dáʊt] vs. suspect [səspékt]

doubtの語源はdouble「2つの」。2つの選択肢のどちらが正しいかわからず心が2つに引き裂かれるイメージ。そこからなにかが「真実ではないのでは」と疑う意味が生まれる。これに対し，suspectは隠れた事実や悪事の存在を推量することを意味する。su（下）+spect（見る）が語源だ。

(*su*→p.260, *spect*→p.254)

① I **doubt** that he stole the money.「彼がそのお金を盗んだとは思えない。」
　 ≒ I **don't think** that he stole the money.

☐ **dubious** [d(j)úːbiəs] 形 ①疑っている (=doubtful) ②怪しい

② I **suspect** that he stole the money.「彼がそのお金を盗んだのだろうと思う。」
　 ≒ I **suspect** him of stealing the money.
　 ≒ I **suppose** that he stole the money.

☐ **suspect** [sʌ́spekt] 名 容疑者
☐ **suspicion** [səspíʃən] 名 怪しいと疑うこと，容疑
☐ **suspicious** [səspíʃəs] 形 怪しい，うさんくさい　★この語はdubiousと近い意味。

drive [dráɪv]

「〈動物〉を追いやる, 突き動かす」の意味から「〈車〉を動かす, 運転する」の意味に, また人を内部から突き動かす「衝動・欲求」の意味に広がった。

① He drove the sheep to the market. 「彼は市場までヒツジを追った。」
② He drove his truck to the market. 「彼は市場までトラックを走らせた。」
③ a strong drive to succeed 「成功したいという強い欲求」

　★instigate「(内側から突く→)〜をそそのかす, 扇動する」, instinct「(内側から突くもの→)
　本能」impulse「(内側から押すもの→)衝動」も同じイメージ。　impulse→p.224

due [d(j)ú:]

dueは「借金をしている」が本来の意味。「(期日に)借金を返さねばならない」の意味になり, さらに一般化して「締め切りだ・予定だ」となった。また **due to ~**「~に借りがある」は「~にはらわれるべきだ」や「~のおかげで, ~が原因で」の意味に広がった。

① When is the report **due**?「報告書の締め切りはいつだ？」
② He is **due to** leave for India next month.「彼は来週インドに発つ予定だ。」
③ The money is **due to** me.「そのお金は私がもらうべきものだ。」
④ More respect is **due to** him.「彼にはもっと敬意がはらわれるべきだ。」
⑤ The success was **due to** his efforts.「成功は彼の努力によるものだった。」
⑥ Most of these accidents happen **due to** carelessness.
　　「これらの事故のほとんどは不注意によって起きる。」
　　★owe A to B「A を B に借りている, A は B のおかげだ」, owing to ~「~が原因で」も
　　よく似た意味の発展をたどっている。

early [ə́ːli] vs. soon [súːn]

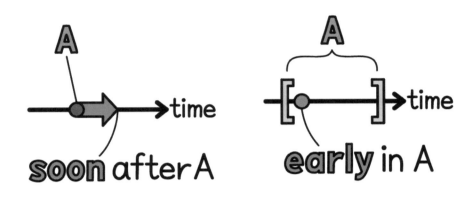

earlyとsoonはどちらも「早く」と訳せるが, あとに来る前置詞で違いがわかる。soonはsoon **after** Aが多い。つまり「A(基準時点)のあと短時間で」という意味。一方earlyはearly **in** Aが多い。つまり「A(期間)の中で最初のほう」の意味だ。soonやearly単独の場合も, これらの前置詞句を補って考えられる。He'll be back **soon**.はafter nowの意味を含み, get up **early**はin the morningの意味を含む。

① a) **soon after** his marriage 「彼が結婚してまもなく」

   b) as **soon** as possible 「(今からあと)できるだけ早く」

② a) **early in** human history 「人類の歴史の初期に」

     ★early manは「(石器時代などの)古代人」という意味だ。

   b) start learning English as **early** as possible

     「(人生の中で)できるだけ早い時期に英語学習を始めること」

embrace [embréis]

em（＝*en* 中に）＋*brace*（腕）→①「～を腕の中に抱く」の意味から②「〈考えなど〉を受け入れる」の意味に発展した。さらに③「～を包含する，含む」の意味にも広がる。

① The mother **embraced** her child.「母親は子供を抱いた。」
② **embrace** a new way of thinking「新しい考え方を受け入れる」
③ This family **embraces** the gorillas, chimpanzees, and humans.
　　「この科はゴリラ，チンパンジー，ヒトを含む。」

entertain [èntətéin]

① ②

enter（＝inter 中で）＋ tain（保つ, 入れる）という成り立ち（tain→p.262）。原義「（家の中に招いて）〈人〉をもてなす」→①「〈人〉を楽しませる」の意味の他に②「心の中に〈考え・疑い・希望など〉を抱く（=have）」という意味がある。一見かけ離れた意味だが, 語源を考えると理解できるだろう。

① entertain guests at home「家で客たちをもてなす」
② a）entertain the idea of trying something new
    「新しいことをやろうという考えを抱く」
  b）entertain a faint hope「かすかな希望を抱く」

☐ **entertainment** [èntətéinmənt]
    名 ①エンターテインメント, 芸能, 娯楽　②もてなし

even [íːvn]

① an even surface「平らな表面」

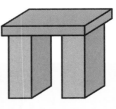

「水平な, 凹凸がない」が形容詞のevenの基本的な意味だ。まずこのイメージを頭に入れてほしい。

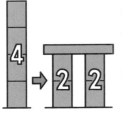

② Four is an even number.「4 は偶数だ。」
4は等しい整数 2 と 2 に分けられる。4 個のブロックを 2 個ずつに分けて上に板を置けば水平になる。ちなみに奇数は**odd** number。

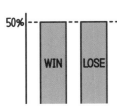

③ You may win or lose. The chances are even.
「君は勝つかもしれない。負けるかもしれない。可能性は 5 分 5 分だ。」
左のグラフの上に板を乗せれば水平になる。このようにeven は「等しい, 同じだ」の意味になる。

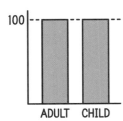

④ Even a child can get full marks in the test.
「そのテストは子どもでも満点を取れる。」
even A「A でさえも」とはつまり「A も同じように」の意味。子どもが大人と同じように100点を取れるということ。このeven は副詞だが, イメージは共通だ。

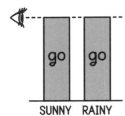

⑤ I'll go out even if it rains.
「私は雨が降っても出かける」
even if...「たとえ…でも」も「…の場合も同じように」という意味に理解できる。晴れでも雨でも結果は同じになるということだ。

多義語・基本語編

1

55

fine [fáɪn]

fineの語源は「終わり（finish）」。楽譜に使われるイタリア語*Fine*「フィーネ（終わり）」と同じ起源だ。 そこから「最後までしあげられて」→「こまかい、美しい、高級な」と変化し、さらに意味が広がって「よい、健康な、元気な、天気がいい」となった。名詞のfine「罰金」は「過失を帳消しにして問題を終結させる金」という意味だ。

① fine-tuning「微調整」
② a fine line「細い線、紙一重の差」
③ a room with a fine view「景色がきれいな部屋」
④ It was a fine day.「天気がいい日だった。」
⑤ I'm fine.「① 元気です。
　　　　　　② けっこうです。(=I'm good. / I'm OK. / No, thanks.)」
⑥ a fine for parking on the sidewalk「歩道に駐車すると罰金」

fire [fáiɚ]

「銃から弾丸を**発射する**」の意味から「(会社から人を放り出す→)〈人〉を**解雇
する**」の意味へと発展した。受身形で使われることが多い。be fired from＋
会社と言うことができる。

① He **fired** a bullet into the car. 「彼は車に弾を一発撃ち込んだ。」
② You're **fired**! 「おまえはクビだ!」
③ Jobs was **fired** from Apple. 「ジョブズはアップルを解雇された。」

> ★dischargeという単語はdis (逆) +charge (積み込む,つめ込む)という成り立ちだが,こ
> の語にもfireと同じく「〈銃,弾,ミサイルなど〉を発射する」の意味と「〈人〉を解雇する」
> の意味があるのがおもしろい。ただしdischargeはfireより意味が広く,「〈人〉を釈放す
> る,退院させる」などの意味でも使われる。 *dis*→p.155, **charge**→p.37
> ① **discharge** a bullet 「弾を発射する」
> ② He was **discharged** from the hospital. 「彼は退院した。」

for [fɚ]

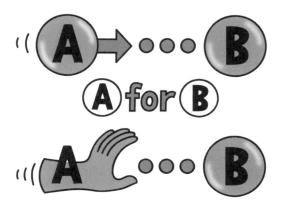

A for Bは「AがBに向き、Bをめざしているが、Bに到達するとは限らない状態」を表す。
また欲求などがBに向けられ、Bを求めていることも表す。

① The train left for New York. 「列車はニューヨークへ出発した。」
② I called him for advice. 「アドバイスを求めて彼に電話した。」

では次の例はどうだろう。
③ pay 20,000 dollars for the car 「車に20,000ドルはらう」

このforも「車を求めて」と考えてもよいが，$20,000がその車の価値につり合っていることにも注意しよう。つまりお金が車の価値に「相当して」いるからお金と車を「交換できる」のだ。「AがBに相当して」と「AをBと交換して」もforの重要な意味だ。

④ a check for 1000 dollars 「1000ドル相当の小切手」
⑤ exchange 110 yen for one dollar 「110円を1ドルと交換する」
⑥ an eye for an eye 「目には目を」
⑦ punish her for murder 「殺人罪で彼女を罰する」

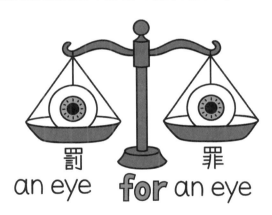

罰 an eye **for** an eye 罪

an eye **for** an eye 「目には目を」とは「人の目をつぶせば引き換えに自分も目をつぶされる」という意味。「目をつぶした（罪）」と「目をつぶされる（罰）」がつり合っているイメージだ。punish A **for** B 「AをBの罪で罰する」もAに対する罰と罪（B）がつり合っているのが普通だ。このてんびんのイメージで考えるとforの多彩な使い方がつかみやすくなる。

from [frəm]

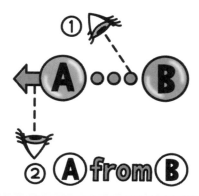

A from Bは「AがBを離れ, 遠ざかる」ことを表す。① Aが元はBにあった
ことに注意を向けると「起源・出身」の意味になり, ② Bから遠ざかってい
ることに注目すると「分離, 距離, 相違」などのイメージとなる。

① I am from California.「私はカリフォルニア出身だ。」
② He is a friend from high school.「彼は高校からの友人だ。」
③ She got divorced from Brad.「彼女はブラッドと離婚した。」

fromは簡単そうに見えるが, 発想を変えないと使いにくいことがある。

④ I ordered a book from Amazon.「私は本をアマゾンに注文した。」
⑤ We are safe from bears here.「ここならクマに襲われる危険がない。」

日本語では「本をアマゾンに注文する」と言うが, 英語では「物がどの方向に移動するか」を重視し,「本がアマゾンから注文主に送られるように指示する」という発想をするので④のようにorder a book **from** Amazon.が正しい。order a book **to** Amazonと言うと「本をアマゾンまで送るよう注文する」に聞こえる。つまりgive a book **to** Amazonと同じような構造になってしまう。

⑤ A be safe **from** Bで「A は B の危険がない」という意味になる。安全とは危険なものから離れていることだからである。A escape **from** B「A が B から逃げる」やsave A from B「A を B から救う」とリンクさせて考えるとわかりやすい。実はsafeとsaveは同じ語源, ラテン語のsalvus「安全な」から生まれた。

⑥ Cheese is made from milk. 「チーズはミルクから作られる。」
⑦ The chair is made of wood. 「いすは木で作られる〔できている〕。」

⑥ではミルクはチーズの原料だが, ⑦では木材はいすの材料である。ofも分離の意味を持つが, fromのほうが製品との距離（＝違い）が大きいニュアンスがある（**far from**とは言っても**far of**とは言わないことに注意）。チーズとミルクの距離（違い）はいすと木材の距離より大きいのだ。

of→p.75

get [gét]

①「ＡがＢを得る」,②「ＡがＢに到達する」,③「ＡがＢの状態になる」が3
つの基本的用法。ＡがＢに達するというイメージはすべて同じだ。

① I got a job. 「私は職を手に入れた。」

② I got to the hospital. 「私は病院に着いた。」

③ a) I couldn't get to sleep. 「私は寝つけなかった。」

　　★go to sleepよりも困難さを含意する。

　b) I got ready for the trip. 「私は旅行の準備をした。」

　　★英語ではcome true「実現する」, go bad「腐る」のように「移動の動詞」で状態の変化
　　を表すことが多い。つまり状態を場所にたとえるわけだ。

次に上の3つの文のgetの直後に目的語を入れると, さらに3つのパターンができる。

①' I got him a job. (≒I got a job for him.)「私は彼に職を手に入れてやった。」

②' I got him to the hospital. 「私は彼を病院に連れて行った。」

　　★takeよりも困難さを含意する。

③' a) I couldn't get him to sleep. 「私は彼を寝かしつけられなかった。」

　b) I got him ready for the trip. 「私は彼に旅の準備をしてやった。」

give [gív]

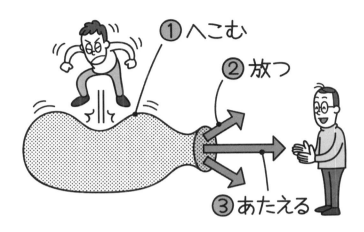

① へこむ
② 放つ
③ あたえる

なにかがはいった袋をイメージしよう。力が加わり① 袋が**へこむ**→② 中身
が袋から**放たれる**。そして「③ 〜を**あたえる**」の意味は放たれたものが**特定
の**受け手に達するときに生まれる。このようにgiveの意味世界は日本語の
「あたえる」よりずっと広い。

① 「へこむ」

The floor **gave** under the weight of the piano.
　「ピアノの重さで床がへこんだ。」

② 「放つ」系

a) My strength **gave out** before I got there.
　「そこに着く前に私の力は尽きた。」

b) The flowers **give off** a sweet fragrance. 「その花は甘い香りを放つ。」

c) She **gave** a sigh of relief. 「彼女はほっとしてため息をついた。」

d) She **gave** a little smile. 「彼女はちょっとほほえみをうかべた。」

e) Jobs **gave** a speech **to** students. 「ジョブズは学生たちにスピーチをした。」

★e)は口から「メッセージを放つ」イメージ。ちなみに日本語の「話す」は「放す」と同じ語
源らしい。**deliver** (p. 45)のイメージとも比べてみよう。

③「あたえる」系
    a) She **gave** me a smile. 「彼女は私にほほえみかけた。」
    b) She **gave** me her cold. 「彼女は私にかぜをうつした。」

ground [gráʊnd]

地面の意味から行動・運動などの場(陸とは限らない)、さらに抽象化して行動や主張の基礎・根拠・理由という意味に発展した。これらの意味では複数形が圧倒的。

① a man standing on the **ground** 「地面に立っている男」
② rich fishing **grounds** 「豊かな漁場」
③ He doesn't eat pork, **on** religious **grounds**.
    「彼は宗教的理由で豚を食べない。」

in [ɪn]

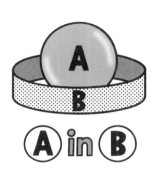

A in Bの空間的意味は「AがB(範囲)の中にある」。そこから抽象的用法「A
がBの状態にある」に発展する。 cf. at→p.26

① He is in the bathroom. 「彼はバスルームにいる。」
② He is in jeans. 「彼はジーンズをはいている。」
③ He is in the nude. 「彼は裸である。」
④ He is in hot water with the police. 「彼は警察とまずいことになっている。」
⑤ He is in trouble with the police. 「彼は警察とまずいことになっている。」
　　★be in hot waterはbe in troubleの意味の口語表現だ。
　　★inが表す状態はin a pickle, in a jam「困って」, in debt「借金して」, in danger,
　　　in a crisis「危機に陥って」, fall in love「恋に落ちて」のように「穴のように脱出でき
　　　ない状態に陥っている」というイメージのものが多い。
⑥ She is in the mood for dancing. 「彼女はおどりたい気分だ。」
⑦ She is deep in thought. 「彼女は物思いにふけっている。」
　　★⑥⑦のように「気分」,「感情」などの精神状態もinで表すことが多い。

「意味・情報＋in言葉」はinの重要な使い方。「言葉は容器, 意味・情報はその中身」というとらえ方だ。次のふたつの文を比べてみよう。

③ She boiled water **in** a kettle. 「彼女はやかんで湯を沸かした。」
　　　　　　　　　×with a kettle
⑤ She made a speech **in** English. 「彼女は英語でスピーチをした。」

湯がやかんに入っているように, スピーチ(＝情報)も英語に入っているのだ。

　★**in** other words 「(他のことばに入れれば→)言い換えると」, **in** a nutshell 「(小さな木の実の殻に入れると→)要するに(＝**in** short)」なども in＋言葉の表現だ。

into [íntə]

A into BはAがBの内部に**深く侵入するイメージ**だ。
*in*は状態を表し，*to*は方向を表すのでintoは**変化を表す**表現で活躍する。

① Water turns into ice at 0℃.「水は0℃で氷になる。」
② Milk is made into cheese.「ミルクはチーズに加工される。」
③ talk him into going home「彼を説得して家に帰らせる」

また，視線が対象に深く入って行くイメージから，問題を「**深く調べる，見抜く**」などのイメージが生まれる。
④ go into the deep forest「深い森に入って行く」
⑤ look into the matter carefully「慎重にその問題を調べる」
⑥ his deep insight into life「人生に対する彼の深い洞察」

またAがBに「**突っ込む**」イメージから衝突の表現にも使われる。
⑦ She bumped into the wall.「彼女は壁にぶつかった。」

さらに「ぶつかる」は「**偶然出会う**」の意味にも広がる。
⑧ I ran into an old friend.「私は昔の友人にばったり出くわした。」

1

多義語・基本語編

issue [íʃuː]

issueはラテン語exireがなまったもので, 原義は①「出る・出す」。そこから②「〈証明書・書類〉を発行する」,「〈声明・命令〉を出す」, さらに名詞化して③「(次々出てくるもの→)問題・話題(problem, topic」,④「(出たもの→)(雑誌の)号」となった。

① smoke issuing from a chimney「煙突から出ている煙」
② The White House issued a statement.「ホワイトハウスが声明を出した。」
③ important environmental issues「重要な環境問題」
④ the first issue of the magazine「その雑誌の創刊号」

lead [líːd]

A lead B to C「AがBをCまで導く」が基本の形。

① I led him to the door.「私が彼をドアまで案内した。」

道を主語にすると「Aを進むとBがCに着く」の意味を表せる。
② The road led me to a river.「その道を進むと私は川に着いた。」

次にB（人）を省略すると「AがCに通じている」の意味になる。
③ The road leads to a river.「その道は川に通じている。」

④ Smoking leads to cancer.「タバコはガンを引き起こす。」
 ★③A lead to C「A（道）がCに通じている」→「A（原因）がC（結果）を引き起こす」と発展（イラスト）。「タバコの行先はガン」というイメージだ。

☐ **leading**[líːdɪŋ] 形 (他を先導する→)指導的な, 先進的な, 一流の, 主要な
 例 a leading industrial nation「先進工業国」
 play a leading part「主役を演じる」

learn [lə́:n] vs. know [nóʊ]

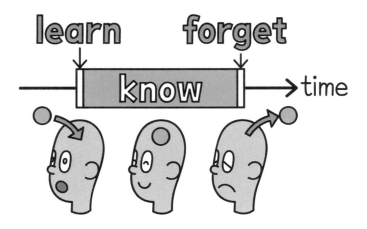

learn「知る」は頭に情報を取り込む**行為**。瞬間的な場合もある。一方know
は情報を保持している**状態**。「知る」ではなく「知っている」だ。そしてforget
は情報を失うことを表す。

① He studied hard but learned little.
　　「彼はよく勉強したがあまり頭に入らなかった。」
　　★study = try to learnとみなせる。

② He was shocked to learn the truth.「彼は真実を知ってショックを受けた。」
　　★②では知らなかった真実が頭に入った瞬間にショックを受けたのだから状態を表す
　　　to knowより瞬間的変化を表せるto learnが自然だ。

③ I'm happy to know that you are doing well.
　　「君が元気なのを知ってうれしい。」
　　★この場合「知っているのでうれしい」という意味なのでto knowでも自然である。
　　★learnには時間をかけて技術などを(完全に)習得するという意味もある。日本人はよく
　　　I learned English last week.のように言うが, これでは先週英語のすべてを頭に入
　　　れたように聞こえるので変である。これはstudiedが自然。I learned **some English**
　　　words last week.ならOK。

look [lók] vs. see [síː]

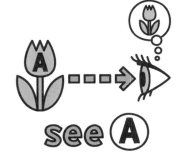

lookの基本義は「視線を向ける」。look at Aは「Aにピタッと視線をとめる」（→at p26）の意味。例①のように，lookしても何かが見えるとは限らない。look at Aは抽象化して「**Aについて考える，研究する**」の意味でもよく使う。これに対し，see Aは「目にはいって来たAのイメージを**認識する**」の意味。認識だからAは幻覚など実在しない物でもいい。視覚以外に意味が広がると「**理解する**」となり，「認識する」に意志が加わると「認識しようとする」→「**調べる**」の意味にもなる。

① He **looked** into the darkness but **saw** nothing.
　「彼は闇の中を見たがなにも見えなかった。」
② We will **look at** this issue later. 「この問題はまたあとで考察する。」
③ **See** the man over there? 「あそこにいる男性が見えますか？」
④ Do you **see** what I mean? 「私の言いたいことがわかるか？」
⑤ Let's **see** if it works. 「うまく動くかどうか調べてみよう。」
　★look A 「Aに見える」の意味が生まれたのは，次のようなプロセスだと思われる。
　　She **looked** nervously at me. 「彼女は不安そうな目で私を見た。」
　→She **looked** nervous. 「彼女は不安そうに見えた。」
　　しかし，人の行為を指す動詞が，その行為によって得られる感覚をも表すことは英語には他にもある。
　　例 smell the rose 「バラの香りをかぐ」
　　→The rose smells sweet. 「バラは甘い香りがする。」

lot [lát]

lotの最初の意味は「くじ」だ。そこからくじで決める「分け前」の意味となり、くじに当たると物をいっぱいもらえるので「たくさん」の意味,「ひとまとまりの物, (製品の)ロット」の意味が生まれた。また土地をくじで分け合ったことから「(土地の)区画」の意味になった。引いたくじで重要なことが決まることから「運命」あるいは運命によって決まった「境遇, 地位」の意味にも発展した。

① She was chosen by lot. 「彼女はくじ引きで選ばれた。」
② He won the lottery and got a lot of money.「彼は宝くじに当たり大金を得た。」
③ a production lot 「生産ロット」
　　★同じ仕様で作られた製品のまとまりのこと。
④ a parking lot 「駐車場」(＝駐車のための区画)
⑤ He is content with his lot. 「彼は自分の運命〔境遇〕に満足している。」

☐ **lottery** [látəri] 名 宝くじ
☐ **allot** [əlát] 動 くじ引きで分け前を決める→〜を分け与える
☐ **lotto** [látou] 名 ロト(ゲーム), 宝くじ(=lottery)

means [mí:nz]

meansの原義は「間にあるもの」でmedi, mid (→p.207)と同じ語源だ。人と目的(end)の間にあるという意味から「やり方, 手段」の意味が生まれ, その意味がせばまり, 目的達成の重要な手段である「お金(財産・収入)」を表すようになった。

① **Money is not an end but a means**. 「お金は目的ではなく手段だ。」
② **Try to live within your means**. 「収入の範囲で生活するようにしなさい。」

☐ **mean**[mí:n] 形 中間の, 平均の 名 中間
　　例 the mean value 「中間の値」,
　　　　the golden mean 「中庸, 中道(極端でないやり方)」

コラム　　　　**ムール貝と力こぶ**

パエリャなどに使う「ムール貝」は英語でmusselだが, その発音はmuscle「筋肉」とまったく同じ[mʌ́sl]でむかしはつづりもmuscleだった。実はこのふたつは同じ語源から生まれた。それはラテン語のmusculus「小ネズミ」で, *mus* (=mouse)+*culus* (小さなもの)からできた語だ。ムール貝の殻も筋肉(特に腕の力こぶ)もネズミの形に似ているかららしい。なおムール(moule)はフランス語で, やはりmusculusから変化したものだ。

object [ábdʒɪkt]

「人に対して(*ob*)投げる(*ject*)」の意味から「人に対して言葉を投げつける」=「反対する」になった。名詞はかつて「障害物(＝人に対して置かれたもの)」の意味だったが, そこから一般化し, 人が認識する「対象・物」, さらに人がめざす「目標・目的」を表すようになった(*ject*→p.195)。UFOは **unidentified flying object**「未確認飛行物体」の略。

① **object** to her marriage「彼女の結婚に反対する」
② a fast moving **object** in the sky「高速で空を動く物体」
③ the **object** of the exercise「行動の目的」

☐ **objection** [əbdʒékʃən] 名 反対
　★ "Objection!"は「異議あり！」。
☐ **objective** [əbdʒéktɪv] 形 客観的な(＝物を対象として見る) 名 目的

of [əv]

A of Bの本来の意味は「AがBから分離して」。ここからさまざまな意味に
発展する。

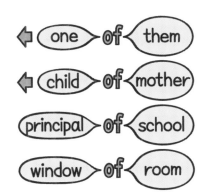

「部分」：themの中からひとつを分離したのがone of them。
「起源と所有」：母親から生み出された子はa child of the mother「その母の子」だ。
このようにofは密接な関係を表す。

　★「その学校の先生」はa teacher at the schoolが普通だが、「その学校の校長先生」は学
　　校の唯一の代表で、学校との関係がより密接なのでthe principal of the schoolが普
　　通だ。同様に「部屋のいす」は一時的に部屋の中に置かれているだけなのでa chair in
　　the roomだが、「部屋の窓」は部屋の一部なのでthe window of the roomが自然だ。

次のような用法もすべて同じようなイメージでとらえられる。

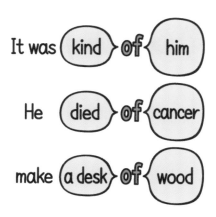

① It was **kind of** him to give me a ride.
「私を車で送ってくれて彼は親切だった。」
② He **died of** cancer.「彼はがんで死んだ。」
③ **make a desk of** wood「木で机を作る」

①「送ってくれたのは彼の性質の一部であるやさしさだ」という構造とみなせ
る。古い英語には It was a kindness of him to assist me. のような表現もあった。
②「死がガンから生じた」という構造。
die from cancer も正しいが，of は病気や飢えなどの直接的死因に多く使われ，
from のほうが「間接的死因」に使われる傾向がある (from→p.60)。これは He died of
lung cancer from smoking.「彼は喫煙が原因の肺がんで死んだ」という例を見
るとわかるだろう。of と from の距離感の違いについては p.62 も参照。

off [á:f]

offの基本的イメージは「分離」だ。スイッチのON/OFFでわかるように，on
の「接触」の対極にある。

offには前置詞と副詞がある。
① He got off（the train）at the station.「彼はその駅で（列車を）降りた。」
② He took his hat off（his head）.「彼は（頭から）帽子を取った。」
① では彼が列車から離れ，②では帽子が頭から離れる。後ろの名詞を省くとoffは副
詞になるが，イメージは同じだ。

では次のような表現はどうだろう。

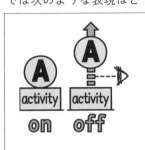

③ I'm off today.
　「私はきょう休みだ。」
④ Let's put off the meeting until tomorrow.
　「会議をあすに延期しよう。」
これらのoffは空間的意味から抽象的意味へと拡張され
ている。③ は「私が仕事から離れている」つまりoff = off
workだ。④ では「会議がきょうから離れる」だ。このよう
にoffは「活動から離れる＝活動の停止」を表せる。

では次の文はどうだろう？

⑤ The light went off.「明りが消えた。」
⑥ The alarm went off.「アラームが鳴り出した。」
このふたつのgo offはまるで逆の意味に思える（Janus
word→p.112）。辞書のoffの項目にも「止まって」と「活動
して」という一見矛盾した項目がある。これはどうした
ことだろう？

⑤ のoffは「電流〔スイッチ〕が切り離された」とも「点灯(=on)の状態から離れた」とも理解できる。いずれにせよ「活動からの分離」だ。しかし⑥ はどう考えればいいのだろう？

次の各文を見てほしい。
⑦ I'm **off** to Paris.「私はパリへ出発する。」
⑧ The plane **took off**.「飛行機は離陸した。」

⑦は同じI'm **off**でも③とは違い、「私が今いる場所から離れる」わけだ。
⑧はThe plane took (itself) off (the ground).と補って考えれば理解できる。
次の文とリンクして考えよう。どちらも「飛行機が陸地から離れる」わけだ。

> 例 The pilot **took** the plane **off** the ground.「パイロットは飛行機を離陸させた。」
> 例 The plane **took off**.「飛行機は離陸した。」

⑦⑧のoffも「分離」の意味だが、元の場所から動き出すわけだから「活動」の開始を表すとも言えるだろう。同じく⑥のoffも、アラームから音が出て来ること(=活動)を表していると考えられる。

go offの他の例も見てみよう。
⑨ His gun [The bomb] **went off**.「彼の銃が発射された/爆弾が爆発した。」
> この例でも同じように銃や爆弾から弾や火や音が放出される。

このようにoffは活動状態から離れることを表せば「休止」の意味となり、なにかが起点から離れて行くことを表す場合は逆に「活動の開始」を表すのだ。

━━━━━━━━━━━━━━━━━━━━━━━━━━━━━━━━━━━

クイズ 次の文の意味を日本語で表してください。
The burglar went into the house without setting **off** the alarm.
> ※burglar＝泥棒

━━━━━━━━━━━━━━━━━━━━━━━━━━━━━━━━━━━

（答えは80ページ）

on [ɑn]

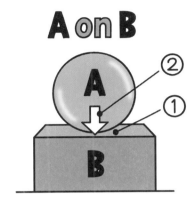

A on BはAが①Bの表面にのって（接触・依存），②Bに重さ（力・影響）がかかるというイメージだ。

① She went home **on the subway**. 「彼女は地下鉄で家に帰った。」

★ これは地下鉄に乗って移動することを表す。このように**on**は移動・活動状態を表すことがある。

> 例 I was **on my way home**. 「家に帰る途中だった。」
>
> She is **on a trip**. 「彼女は旅行中だ。」

② That sweater **looks great on you**. 「そのセーター，君にすごく似合うね。」

★ 直訳すると「セーターは君の体にくっついた状態ですてきだ。」

③ **On arriving** home he went to bed 「彼は家に帰るとすぐ寝た。」

★ 「帰宅」と「寝た」が時間的に接している。　　　　　　　**immediately**→p.208

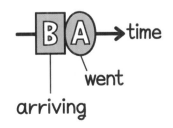

79

④ Focus on your breathing. 「自分の呼吸に意識を集中しなさい。」
　★「意識を呼吸にくっつけて離さない」というイメージ。

⑤ Animals depend on plants. 「動物は植物に依存している。」

pend →p.222

⑥ Every theory is based on assumptions.
　「すべての理論は仮定に基づいている。」

ground →p.64

⑦ impose a heavy tax on the rich 「富裕層に重税を課す」 impose →p.229
　★onはこのように「負担」を表す。

⑧ Plastics have a negative impact on the environment.
　「プラスティックは環境に悪い影響をあたえる。」

（p.78　問題解答）

| 正解 | 「泥棒はアラームを鳴らさないでその家に入った」

ある有名な辞書でこの文が「アラームを切らないで…」と誤訳されていた。set A off は「Aを作動〔発射, 爆発〕させる」の意味。turn A off 「Aのスイッチを切る」とは全く違うので要注意。

多
義
語
・
基
本
語
編

order [ɔ́ːdə]

orderの最初の意味は「階級, 順序」だ。そこから「順に並んだ状態」→「秩序」と発展。動詞としては「秩序を維持する」→「命令する」となった。「注文する」も命令の一種とみなせる。

① all **orders** of men 「あらゆる階級の人々」
② in alphabetical **order** 「アルファベット順に」
③ maintain public **order** 「公共の秩序を維持する」
④ **order** a book from Amazon. 「アマゾンに本を注文する」 →p.60
  ★Order!「(秩序→)静粛に!」は議会や法廷で使われる表現。

◇ **put** A **in order** 「A を整理する」
◇ **out of order** 「順序が乱れて, 乱雑になって, 故障して」
◇ **made to order** 「(注文で作られた→) オーダーメイドの」 × order made

☐ **orderly** [ɔ́ːdəli] 形 整然とした, 規律正しい

otherwise [ʌ́ðəˈwàɪz]

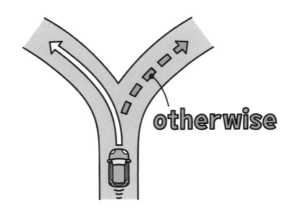

otherwise

other（他の）＋ wise（＝way）という成り立ち。このwise＝wayの意味をどう取るかでotherwiseの意味が決まる。

まず「他の道」→「別の道を選択したら」＝ ①「さもないと」。wayを「方法」の意味に取れば ②「他のやり方で」。

次にwayには「点（respect）」の意味もあるので ③「他の点では」の意味にもなる。

① Leave here now. **Otherwise** you'll be in trouble.
　「すぐにここを出ろ。さもないと大変なことになる。」

② You can't do it **otherwise**. 「他のやり方ではやれない。」

③ My room is small but **otherwise** perfect.
　「私の部屋はせまいが他の点では完璧だ。」

☐ **likewise** [láɪkwàɪz] 副 同じように（in a similar way）

☐ **clockwise** [klɑ́kwàɪz] 副 時計回りに　⇔counterclockwise「反時計回りに」

　★このwiseは「方向」。

　★-wiseはpricewise「税金の点で」, timewise「時間の点で」のようにX＋wiseという形でかなり自由に使われる。

82

out [áʊt]

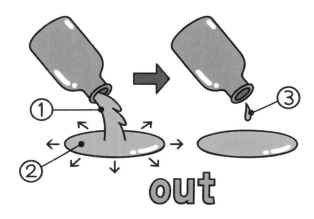

outはものが ①外に出て ②広がり, ついには ③なくなるというイメージ
だ。「外に出て」は「選んで, 除外して」「開始して」「目立って, 判明して」など
に発展する。この意味の拡大のしかたは接頭語 *ex* (→p.163)によく似ている。

① 「外に出て→選んで, 始まって, 目立って, 判明して」

    a) **pick out** the best answer「最もよい答を選び出す」
       ★「ピックアップする(＝選ぶ)」は和製英語。

    b) War **broke out**.「戦争が始まった。」

    c) **stand out** in the crowd「人ごみの中で目立つ」

    d) The man **turned out** to be a spy.「その男はスパイだとわかった。」

② 「外に向かう→広がって, のばして, 拡散して」

　　a)　hand out questionnaires
　　　「アンケート用紙を配布する」
　　　　★「提出する」はhand in。

　　b)　The company branched out.
　　　「その会社は事業の分野を広げた。」
　　　　　　　　　　　　　　branch →p.32

③ 「出る→なくなって, 消えて」

　　a)　The gas ran out.「ガソリンがなくなった。」
　　b)　put out the light「明かりを消す」

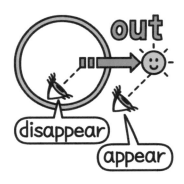

視点がある範囲の内側にあれば「消滅」を, 視点が外側にあれば「目立って, 判明して, 出現して」などを意味する。

　　例　The rain stopped and the sun came out.「雨がやんで太陽が出てきた。」

over [óuvə]

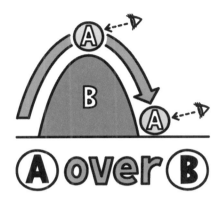

Ⓐ over Ⓑ

A over Bの基本はＡが円弧状の軌跡を描いてＢを越えるイメージ。円弧の頂点だけに焦点が当たると下の①「Ｂの真上に」の意味, 円弧の終着点だけに焦点が当たると③「Ｂを越えた向こう側に」となる。

① a cloud **over** the mountain 「山の真上の雲」

雲が山頂から離れた真上にある。くっついていればon the mountainだ。

★ただし, 大きめの雲が山をおおっているときもoverを使える。→⑤

このイメージが抽象化すると「～より優れて」「～を支配して」となる。

例 Allied victory over Germany

「連合国のドイツに対する勝利」

② get **over** the problem 「問題を克服する」

A get over Bで「ＡがＢ（障害物など）を乗り越える」だが, これが抽象化すると「ＡがＢを克服する」となる。

③ a house **over** the mountain 「山の向こう側の家」
円弧の終着点を意識した表現。

He lives **over** the hill. 「彼は丘を越えたところに住んでいる。」のような表現も可能。「丘の上に住んでいる」と誤解しないように注意。それなら live **on** the hill だ。

④ Danger is **over**.

「危険はなくなった〔危険な状態は終わった〕。」

A be over「Aは終わった」の over は副詞だが, 前置詞と同じく**A**が頭上を飛び越えて**去った**というイメージ。

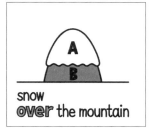

⑤ snow **over** the mountains 「山々をおおう雪」
円弧の部分が3次元化すると「AがBをおおって, Bにかぶさって」つまり covering の意味に発展する。

★この用法ではAがBの表面に接触していてもよい。

コラム	ペンとペンシルは親類か？

penとpencilはどちらも筆記用具だから単語の形も似ているみたいに感じている人がいるのではないだろうか。実はこのふたつ, 語源的にはなんの関係もない「**ニセの親類**」なのだ。penの先祖はラテン語のpenna「羽根」。むかしは羽根をけずってペンにしたから。一方pencilの元の意味は「細い筆」でさらにさかのぼるとpenisが先祖だというからびっくりだ。

overlook [òʊvəlúk]

overlookの意味は"over"の部分の意味をどう取るかによって変わる。
①「(視線が)上を通り過ぎて」の意味にとると、「～を見過ごす・見落とす」
(左の図)。②「(上から)全体を」の意味でとると「〈場所が〉〈町など〉を見渡す
(=command→p.39)」の意味が生まれる(右の図)。ホラー映画の古典 *The Shining*
の舞台となるのは山の上にあるOverlook Hotelだ。

① **overlook** an important fact 「重要な事実を見落とす」
② I'll **overlook** your mistake this time. 「今回は君の誤りを見逃してやる。」
　★このように意図的に見逃す場合にも使える。
③ The room **overlooks** the lake. 「その部屋から湖が見渡せる。」

put [pót]

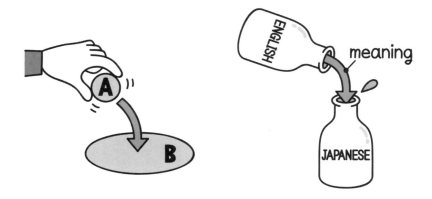

meaning

put A + B の基本義は A (あるもの) を B (場所や容器) に移すこと。(イタリック体が場所)

① put the poster *on the wall.*「ポスターを壁にはる」
② She put the ring *on* (*her finger*)「彼女は指輪を(指に)はめた。」
③ put the dishes *away*「皿を片づける」
   ★ このように日本語はいろいろな動詞が必要だが, 英語は全部 put で OK。
     put には「〜を表現する」という重要な意味がある。英語という容器の中の意味を日本語という別の容器に移すというイメージだ (右のイラスト)。
④ put (the meaning of) the English into Japanese「英語(の意味)を日本語で表す」
⑤ to put it another way「別の言い方をすれば」
   ★ A を B の状態に変化させることを表す場合もある。
⑥ put her at ease「彼女をくつろがせる (=relax)」
⑦ put the house on the market「家を売りに出す」
   ★ put と「置く」の違い
     ① 日本語の「置く」は普通物を水平な場所に移すことを意味するが, put は壁や穴のような水平でない場所でもよい。②「置く」は目的語だけでも使えるが, put は場所の副詞句なしには使えない。「空きカンを置くな」は Don't put empty cans. では不十分。
     Don't put empty cans here [there, out, on the street, etc.] のようにするべきだ。

88

represent [rèprɪzént]

representの中心的意味は単純なものがより複雑なものの代わりになること。たとえば「木」という象形文字が現実の複雑な木を表す(左),一人の議員が多くの人の考えを代表する(右)。「描く」や「説明する」の意味も,複雑なものごとをより単純に表すことだ。

① The cross represents Christianity. 「十字架はキリスト教を表す。」
② The governor represents the state. 「知事は州を代表する。」
③ He represented his idea. 「彼は自分の考えを説明した。」

☐ **representative** [rèprɪzéntətɪv] 名 代表,代議員 形 表す,代表する,典型的な
☐ **representation** [rèprɪzentéɪʃən] 名 表現,描写,代議制

resort [rɪzɔ́ːt]

re (= again) + sort (出かける)が語源。「人がくりかえし行く場所」→「観光地」
となった。一方、「くりかえし行く」→「(ついつい)頼ってしまう」の意味にも
発展した。名詞として「頼るもの」→「(困ったときの)手段」にもなった。

recourse→p.150

① a famous summer resort 「有名な夏の観光地」
② resort to violence 「暴力に頼る〔訴える〕」
　★toのあとにはviolence, force, warなどが多いが, drugs, alcoholなども使われる。
③ War is the last resort. 「戦争は最後の手段だ。」

◇ **health resort** 「保養地」

right [ráɪt]

rightの原義は「まっすぐな」。そこから「正しい」に発展。それが名詞化して「正義, 善, 権利(＝行為が正当であること)」となった。一方, wrongの語源は「曲がった」で, そこから「間違った, 悪い, 悪」が生まれた。　wr→p.286

　★日本語でも「まっすぐな人」とか「曲がったことが大嫌い」と言いますね。

① stand **right** in front of the camera 「カメラの真正面に立つ」
② The customer is always **right**. 「客はいつも正しい〔＝お客様は神様です〕。」
③ know **right** from wrong 「善悪の区別がわかる」
④ have the **right** to vote 「投票〔選挙〕権がある」

さらに「正しいほうの手」→「右」と派生した。

　★これは右ききの人が多いからだろう。もしも左ききの率が多かったら逆にrightは「左」になっていたはず。

☐ **upright**[ʌ́prὰɪt] 形 直立した, 正直な

rule [rúːl]

ruleの語源はラテン語のregula「定規」。定規で①「線を引く」の意味から, ②「(善悪などの境界を)決める」に発展し, さらに「決める権力を持つ」すなわち③「(王などが)支配する」の意味になる。名詞としては「決めること, 決まったこと」から発展した④「ルール, 規則, 普通のこと, 支配, (王の)統治, 在位期間」などの意味がある。なお, regal「王のような, 堂々たる」やroyal「王の」も同じ語源で, 「線を引く→決める人→王」という発展。さらにはrect「真っすぐな」(→p.247)やright (→p.91) も同源だ。

① ruled paper「罫線が引かれた紙」
② The court ruled him guilty.「裁判所は彼に有罪の判決を下した。」
③ Louis XIV ruled France for 72 years.「ルイ14世はフランスを72年支配した。」
④ It is an exception rather than a rule.「それは普通のことではなく例外だ。」
　　◇ **rule** A **out**「A〈可能性など〉を否定する, 排除する」

☐ **ruler** [rúːlə] 名 ①支配者 ②定規, ものさし
☐ **regular** [régjələ] 形 (定規で決めた→)規則正しい, 一定の, 通常の
☐ **regulate** [régjəlèit] 動 ～を規定する, 規制する, 調節する
☐ **regulation** [règjəléiʃən] 名 規則, 規制, 調節
☐ **regime** [rəʒíːm] 名 政治体制

run [rΛn]

A runは「Aがなめらかに動く」が基本義。だから主語Aが動物・乗り物なら
①「走る」，Aが液体なら②「流れる」，機械やアプリなら③「動く〔機能する〕」
となる。他動詞化すると run A「Aを動かす」 になる。

① This car **runs** on hydrogen.「この車は水素で走る。」
② The Seine **runs** through Paris to Normandy.
　「セーヌ川はパリからノルマンディに流れる。」
③ This program **runs** on Windows 10.
　「このプログラムはWindows10で動く。」

　★run Aは他動詞で「Aをなめらかに動かす」。だから目的語Aが液体なら「流す」，Aが機
　　械なら「動かす」，Aが組織なら「運営〔経営〕する」となる。

④ **run** the app on Mac 「そのアプリをマックで動かす」
⑤ how to **run** a business 「企業経営の方法」

spring [spríŋ]

①「いきおいよく 飛び出る」の意味から②「ばね」, ③「春(生き物が出てくる季節)」,④「泉(水がふき出すところ)」の意味が生まれた。動詞としては「突然現れる,突然変化する」などに発展した。

① spring from bed 「ベッドから飛び出る」
② bed springs 「ベッドのばね」
③ a spring roll 「春巻き」
  ★中国で春に作られたことから。なお,生春巻きはsummer roll。
④ hot spring 「温泉」

◇ **spring to mind** 「急に頭に浮かぶ」

stand [stǽnd]

自動詞のstandは「立つ」という動作と「立っている，ある」という状態を表す。他動詞としてはstand Aは「Aに対抗して立っている」→「Aにたえる」と意味が発展する。ただし「たえる」の意味ではcannot stand A「Aにたえられない」という否定の形が圧倒的に多い。cannot stand to V [V-ing]「Vするのがたえられない」という形も多い。　　　　cf. resist→p. 256

① The church stands on a hill. 「その教会は丘の上に立っている〔ある〕。」
　★建物など動かないものが主語のときは進行形にしない。
② I can't stand it any longer. 「もうこれ以上がまんできない。」
③ I cannot stand to see her cry. 「彼女が泣くのを見ているのはたえられない。」

stick [stík]

「棒」→①「(棒などを)突っ込む, 突き刺す」→②「(突き刺して)留める, 動けなくする」と意味が拡大していく。「留める」は糊などで③「はりつける」場合へと拡大する。さらに④「(棒のように)突き出す」の意味も生まれた。

① stick a knife into his chest 「彼の胸にナイフを突き刺す」
② I was stuck on the train for three hours.「私は電車の中で3時間足止めされた。」
③ stick a note on the fridge 「冷蔵庫にメモをはりつける」
④ Don't stick your head out the train window.
　「列車の窓から頭を突き出すな。」

☐ **sticky** [stíki] 形 べとべとした, (天気が)じめじめした
☐ **sticker** [stíkə] 名 ステッカー

　次のような語もstickの「突く, 刺す」の仲間だ。
☐ **sting** [stíŋ] 動 〜をチクリと刺す
☐ **instinct** [ínstɪŋkt] 名 本能(=生物を内側から突き動かす)
☐ **instigate** [ínstɪgèit] 動 〜を扇動する(instinctと同じ語源)
☐ **stimulate** [stímjəlèit] 動 〜を刺激する

subject [sʌ́bdʒekt]

「*sub*(下に)+*ject*(投げ出された)」→「支配下に置かれた, 服従する」のイメージだ。

王に支配される①「家来, 国民」の意味から, 力を持つ者の下(*sub*)に置かれ, その行為を受ける受け身的存在を広く意味するようになった。②「主題」は人に議論されるもの, ③「教科」は学習されるもの, ④「被験者」は研究者にコントロールされ調べられる人という意味。「主題」の意味から⑤「主語」の意味が派生した。形容詞としてもbe subject to Aで⑥「Aの支配・影響を受ける」の意味になる。*sub*の意味の前置詞underにも受け身の意味がある(ex. under control「支配されている」)ことにも注目。

sub→p.260

① **subject** of the king「王の家来たち」

② a **subject** of study「研究の主題〔対象〕」

③ What is your favorite school **subject**?「好きな学校の教科はなんですか？」

④ the **subjects** of the experiment「実験の被験者たち」

⑤ the **subject** of the sentence「文の主語」

⑥ Everything is **subject** to the laws of nature.
　「すべては自然法則に支配される。」

term [tə́:m]

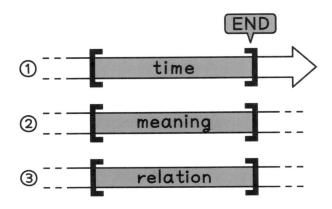

terminal「終点」の語源。「終わり，限界」→「限定されたもの」となり，さまざまな意味に拡大した。①「期間(＝限定された時間)」，②「専門用語(＝限定的な〔正確に定義された〕意味の語)」，③「人間関係(どの程度のつきあいか限定がある)」，④「契約の条件(＝契約の内容を限定するもの)」など，さまざまな意味で使われる。

① long-term memory「長期記憶」
② technical terms「専門用語」
③ I'm on good terms with John.「私はジョンと仲がいい。」
④ accept the terms of the contract「契約の条件を受け入れる」

□ **terminal** [tə́:mnl] 形 終末の 名 終点，ターミナル
　◇ **terminal illness**「末期の病気」
　◇ **mid-term election**「中間選挙」　★米大統領の任期の中間に行われる。
　◇ **term paper**「(学期末の)レポート」
　◇ **in terms of** A「(Aの用語を使って→) Aの点では，A的に」

98

thing [θíŋ] *vs.* stuff [stʌ́f]

「もの」に相当する英語は2つある。

ひとつは**thing**で，これは比較的はっきりしたイメージがあって，個別に認識できる「もの」。**thing**は**数えられる**（＝aをつけたり，複数形にしたりできる）。一方**stuff**は煙のようにもやっとしたかたまりのようなイメージの「もの」。**数えられない**。英語のすべての名詞は**thing**の仲間（＝可算名詞：book, man, house, idea, job, etc）と**stuff**の仲間（＝不可算名詞：air, wine, information, luck, advice, news, furniture, etc)に分かれると考えていい。

① I have a lot of **things** to do. 「やるべきことがたくさんある。」
② I have a lot of **stuff** to do. 「やるべきことがたくさんある。」

    ★**stuff**を単に**thing**のくだけた表現のように考えている日本人が多いようだ。
        ×**a** stuff→stuff, ×a lot of stuff**s**→a lot of stuffなどに気をつけよう。

コラム　　　**ターミネーター の 使命**

terminateは「終わる，〜を終わらせる」の意味で，terminate the contract「契約を打ち切る」，terminate the pregnancy「妊娠を中絶する」などのほか，「〈人〉を解雇する，〈敵のスパイなど〉を殺す」などの意味がある。映画*Terminator*では，未来の機械対人間の戦争で，人類のリーダーとなるジョン・コナーの母サラ・コナーをterminateする，つまり殺すことがterminator T-800の使命だった。

through [θrùː]

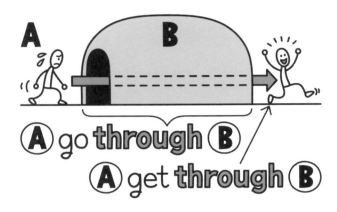

Ⓐ go **through** Ⓑ
Ⓐ get **through** Ⓑ

A through Bの基本義は「AがB（の中）を通り抜けて」。これが抽象化すると「AがBを経験して，やり終えて」などを表す。
A go through Bは「AがB（場所）を通り抜ける」→「AがB（つらいこと）を経験する」と発展。暗いトンネルの中を通って行くイメージだ（イラスト）。他に「Aを詳しく調べる，論じる」もある。

① a) He went through a dark tunnel. 「彼は暗いトンネルを通り抜けた。」
　b) He went through a painful divorce. 「彼はつらい離婚を経験した。」
　★A get through Bも「AがBを通り抜ける」と訳せるが，go throughが通り抜ける経路全体を指すのに対し，get throughは通り抜けたあとの終着点に焦点がある（上のイラスト）。

② get through the work 「その仕事をやり終わる」

　★throughはまた「～を通して」つまり情報を伝達したり何かを得たりする手段を表すことがある。

③ access information through the Internet 「インターネットで情報にアクセスする」

through the net

to [tə]

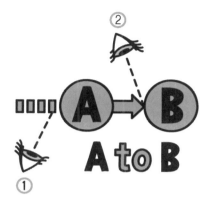

② A → B A to B ①

A to BはAがBに①向かって進み, ②到達することを表す。①が意識されると, 運動や注意などの方向を表し, ②の到達点が意識されると, 到着, 執着, 結果, 適応, 所属などのさまざまな表現を生み出す。

① pay attention to his words.「彼の言葉に注意をはらう」 意識の方向
　　★listen to AのtoもこのE法。
② a) get to the top「頂上に着く」 到着
　　b) cling to the past「過去にこだわる」 執着
　　c) starve to death.「飢えて死ぬ」 結果　　lead→p.69
　　d) adapt to the new environment「新しい環境に慣れる」 適応
　　e) This book belongs to him.「この本は彼のものだ。」 所属

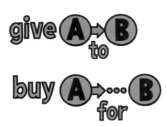

give A to Bは A が B にとどくこと，つまり A go to Bを含む。一方buy A for Bでは「A を B にあげるために買う」の意味なので，必ずしも A が B にとどくとはかぎらない。これはA leave for B「A が B へ出発する」で A が必ずしも B に到着することを意味しないのと同じだ。

☐ **give A to B** の仲間：tell, say, explain, show, teach, send, hand, write, read, etc.

☐ **buy A for B** の仲間：make, cook, choose, find, etc.

★want, expect, ask, demandなどの動詞には＋A to Bの形はない。これらの動詞は A が B に移動するのではなく A が B から移動する意味を含むので，＋A from Bあるいは＋A of Bのパターンになる。 cf. **from**→p.60

🈡 Don't expect too much from me! 「私にあまり多くを期待しないでくれ」

(「あまり多くのもの(＝A)を私(＝B)から得ようと期待するな」という構造だ)

train [tréɪn]

trainの語源は*tract*「引く」(→p.268)。「引きずられるもの」→「長い連なり, 連続」→「列車, ドレスの長いすそ, (思考などの)連鎖」と発展。
動「訓練する」は植木の枝を「引っぱって望み通りの形に仕立てる」という意味から発展した。

① The **train** had seven cars.「その列車は7つの車両で編成されていた。」
　　★**train**は厳密には列車の一編成全体を指す。個々の車両は**car**と言う。
② the **train** of her wedding dress「彼女のウェディングドレスのすそ」
③ He made me lose my **train** of thought.
　「彼のせいで考えていたことを忘れた。」
④ **train** soldiers for combat「戦闘にそなえて兵士を訓練する」

wear [wéə]

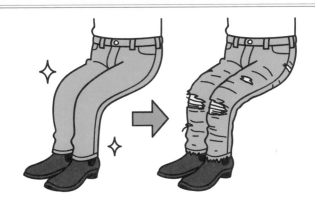

「身につけている」と結果として「すり切れさせる・すり減らす」ことになる。意味が原因から結果に発展するパターンだ。「すり切れさせる」はさらに「使い果たす」,「疲れ果てさせる」などの意味に拡大する。「すり切れる, なくなる」など自動詞にもなる。wear outの形が多い。outは「完全に」を表す。

① I have nothing to wear to the party. 「パーティに着ていくものがない。」

② The stone is worn away 「その石は磨滅している。」

③ He wore out my patience. 「あいつにはもうがまんできない。」
   ★直 「彼は私の忍耐を使い果たした。」

④ She looks worn out. 「彼女は疲れ果てた顔をしている。」

⑤ The battery will wear out in five months. 「電池は5か月で切れる。」

★put onは身につける動作を指し, wearは身につけている状態を意味することに注意。

win [wín]　vs.　beat [bíːt]

win A

beat A

「勝つ」にあたる英語の動詞は2種類あり, 使い分けを間違う人が多い。**win**は「〈賞・得点・試合など〉を勝ち取る」こと。つまり**win**は**get**の意味を含んでいる。一方**beat**は「〈競争相手〉を打ち倒す, やっつける」。元の意味が「〜をなぐる」であることに注目。

① **win** a prize [a game, an election, a victory]
　「賞〔試合, 選挙, 勝利〕を勝ち取る」
② I can't **beat** him at chess.「チェスでは彼に勝てない。」
　★**defeat**も**beat**とほぼ同じ意味。ただし名詞の**defeat**は「打ち負かされること＝敗北」が
　　普通なので注意。

クイズ *Win Her With Dinner*という本があります。このタイトルの意味を考えてください。

（答えはp.107）

---

with [wíð]

A with B は A と B が結合したり, 衝突することを表す。矛盾しているように
も見えるが, A と B が同じ「場」にいることは共通だ。

① He wants to **connect with** you. 「彼はあなたとつながりたいのだ。」
② The asteroid will **collide with** the Earth. 「その小惑星は地球に衝突する。」

A argue **with** B は「A が B と論争する」, A is friends **with** B は「A は B と友だちだ」。

106

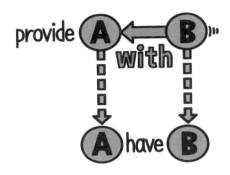

A with Bは「AがBを持っている(= A have B)」の意味も表す。

provide **A with B**は **A have B**の状態を作り出すことを表す。「AにBをあたえる」とは言い換えれば「AにBを所有させる」なのだ。

③ I provided the man with important information.

「私はその男に重要な情報を提供した。」

→the man with important information「重要な情報を持つ男」の状態になる。

★supply, present, fill, cover, loadなども同じパターンを持つ。

ちなみに逆のしくみを持つのがrob A of B。ofは分離の意味を表す(→p.75)ので, A with Bの状態を切り離し「AからBを奪う」の意味になる。

例 rob the poor of their rights「貧しい人々から権利を奪う」

p.105 解答

これは男のための料理本だが, 料理の競争で彼女に勝つための本ではない。win はgetの意味だから, 「おいしい料理を作って彼女(のハート)をゲットしよう」という本だ。

write [ráit] vs. draw [dró:] vs. paint [péint]

write   draw   paint

3つの「かく」を区別しよう。writeは文字〔数字, 記号, 文章, 本〕を書く, drawは線〔図形, 線画〕を描く, paintは絵具を使って絵を描く, 塗ることを意味する。

① **write** a letter [word, novel, book] 「手紙〔文字〕〔単語,小説,本〕を書く」
② **draw** a line [circle, map, picture] 「線〔円,地図,線画〕を線で描く」
③ **paint** a picture [portrait, landscape] 「絵〔肖像,風景〕を描く」

    ★日本人はmapやcircle, triangle, lineなどについwriteを使ってしまいやすいので注意！

◇ **draw a line between** A **and** B

  「AとBの間に線を引く, AとBを区別する」

    例 draw a line between right and wrong 「善悪を区別する」

    ★日本語でも区別を「線引き」と言うことがある。

◇ **draw a distinction between** A **and** B 「AとBをはっきり区別する」

    ★lineを抽象語distinctionで置き換えてできた表現。

丸暗記なしで
身につく

見る
英単語

2 | 語源編

ambi, amphi

両方，周囲

ambi は「両方，両側」の意味。そこからさらに「周囲」の意味にも広がる。
amphi も同じ意味。

RABBIT?　　DUCK?

☐ **ambiguous**[æmbígjuəs] 形 両方の意味がある，あいまいな

　　例 an ambiguous expression 「あいまいな表現」

☐ **ambiguity**[æ̀mbɪgjúːəti] 名 あいまいさ

　　★同じ「あいまい」でもvagueはぼんやりしてはっきりしないこと。

コラム　　ヤヌスのことば

「けっこうです」の意味が「はい」なのか「いいえ」なのか迷うことがある。こういう**正反対の
ふたつの意味**を持つambiguousな語をローマ神話のふたつの顔を持つ神ヤヌスにちなんで
Janus wordと言う。例えば動詞のdustには「～のほこりを払う」と「～にほこり[粉]をかける」
の意味がある。fastには「速い」と「固定された，動かない」，sanctionには「承認」と「制裁」の意
味がある。table a billはイギリス英語では「法案を議題にする」だがアメリカでは逆に「法案
を棚上げする」だ。

□ **ambivalent** [æmbívələnt] 形 (愛憎など)矛盾した感情を持つ

源 *ambi* + *valent* (=value価値) =「ふたつの価値がある」

例 He is ambivalent about his wife.「彼は妻を好きでも嫌いでもある。」

□ **ambivalence** [æmbívələns] 名 アンビヴァレンス,肯定と否定が混じった感情

word family

□ **ambient** [æmbiənt] 形 周囲の,環境の,

例 ambient temperature「周囲の温度」

□ **amphibian** [æmfíbiən] 名 両生類

源 *amphi* ((水陸)両方) + *bian* (=*bio* 生きる)　　　　　　*bio*→p.123

□ **ambidextrous** [æmbidékstrəs] 形 〈手が〉左右両ききの

源 *ambi* + *dextstrous* (器用な)　cf. **dexterity** 名 器用さ

□ **amphitheater** [æmfiθìːətə]

名 (ギリシャなどの)円形劇場(舞台の**周囲に**席がある),階段教室

□ **disambiguation** [dìsæmbìgjuéiʃən] 名 あいまいさ回避

★同じつづりの語の意味を区別すること。例:bat¹「コウモリ」, bat²「野球のバット」

ann(i), enn(i)

年

ann (*i*) , *enn* (*i*) はラテン語のannus「年」から。西暦(紀元後)を表すADは
Anno (年) Domini (主キリストの)の略(BC「紀元前」はBefore Christ「キ
リストより前」。もっとも,最近は非キリスト教徒に配慮し, BCE=Before
Common Eraと言い換えることがある)。

anniversary

□ **anniversary**[ænəvə́ːsəri] 名 記念日

源 *anni* (年)＋*vers* (回る)

→「毎年回って来る日」

例 celebrate our wedding anniversary「二人
の結婚記念日を祝う」

vers→p.280

word family

□ **annual**[ǽnjuəl] 形 ①年に１回の　②１年間の

□ **millennium**[mɪléniəm] 名 1000年　★ 複数形はmillennia。

　　源 *mill* (1000)＋*enni*

□ **perennial**[pəréniəl] 形 年中ある,永続的な,(植物)多年生の

　　源 *per* (ずっと,全部)＋*enni*

□ **semiannual**[sèmiǽnjuəl] 形 半年に１回の

　　源 *semi* (半分)＋*annual*　cf. semifinal 名 準決勝

□ **biennial**[baɪéniəl] 形 ２年ごとの 名 ビエンナーレ(biennale) (２年に１度の美術展)

　　源 *bi* (2)＋*enni*

□ **biannual**[baɪǽnjuəl] 形 年２回の　★ biennialとの意味の違いに注意！

　　源 *bi* (2) ＋ *annual*　　cf. bicycle, bisexual

□ **triennial**[traɪéniəl] 形 ３年ごとの 名 トリエンナーレ（３年に１度の美術展）

　　源 *tri* (3) ＋ *enni*　　　　　　　　　　　　　　　　　　　　　　*tri*→p.273

---

astro, aster, stella

> ## 星

星を表す語star, Stern（ドイツ語）, stella（イタリア語）, estrella（スペイン語）, etoile（フランス語）はすべて同じ語源だ。「鉄腕アトム」の英語タイトルはASTROBOY「星少年」。女性の名Stella, 花の名aster（アスター）も「星」という意味。

□ **disaster**[dɪzǽstə] 名 災害

　　源 *dis* (否定, 悪) ＋ *aster* ＝「悪い星」　　　　　　　　　　　*dis*→p.155

　　例 A disaster fell upon me.「災難が私にふりかかった」

2

語源編

115

☐ **astral**[ǽstrəl] 形 星の

☐ **asterisk**[ǽstərìsk] 名 アスタリスク(*)

  源 *aster* + *isk* (小) = 「小さな星」

☐ **astronaut**[ǽstrənɔ̀:t] 名 宇宙飛行士

  源 *astro* + *naut* (船乗り) = 「星の船乗り」

☐ **astronomy**[əstránəmi] 名 天文学

  源 *astro* + *nomy* (法則, 秩序)

☐ **astrology**[əstrálədʒi] 名 占星術

  源 *astro* + *logy* (学, 理論)

  ★昔は学問とされていた。   *logy*→p.201

☐ **asteroid**[ǽstərɔ̀id] 名 小惑星

  源 *aster* + *oid* (もどき)   cf. *andr* (人) + *oid* = 「人に似たもの」 = 「アンドロイド」

 ☐ **astrophysics**[ǽstrəufíziks] 名 天体物理学

☐ **constellation**[kùnstəléiʃən] 名 星座

  源 *con* (=together) + *stella*

  ★「星の集まり」の意味   *con*→p.141

☐ **stellar**[stélə] 形 ①星の ②すばらしい, 一流の

 ☐ **interstellar**[ìntərstélə] 形 星間の

  源 *inter* (間の) + *stella*   *inter*→p.191

コラム **星 に 願 い を**

意外な言葉の中に「星」がかくれている。considerは*con* (いっしょに) + *sider* (星)で, 占いや航海で「多くの星をいっしょにながめる」の意味から「〜を熟考する」になったと言われる。またdesire「欲求, 欲望」の語源は*de* (=from) + *sider* (星) = 「星に願うこと」だと言われる。まさにWhen You Wish Upon a Star「星に願いを」の歌のような言葉だ。

auto

自分, 自動

*auto*は「自分」。さらに*auto*だけでautomatic「自動」の意味を持つようになった。

autofocus「オートフォーカス」の*auto*はこの意味。さらにautomobile「*auto* +*mobile*（動く）＝自動車」の短縮形として**auto**だけで自動車を意味するようになった。

□ **auto biography**[ɔ́:təbaɪɑgrəfi] 名 自叙伝
　　源 *auto*＋*bio*（人生）＋*graphy*（書く, 記録）

□ **auto graph**[ɔ́:təgræf]
　　名 (有名人の)サイン
　　★signとは言わない。一般人の署名はsignature。
　　源 *auto*＋*graph*（書く）
　　　＝「自分[本人]が書いたもの」

□ **auto nomy**[ɔ:tánəmi] 名 自律, 自治
　　源 *auto*＋*nomy*（管理, 支配）

□ **auto nomous**[ɔ:tánəməs] 形 自律的な, 自治の
　　例 autonomous driving「(AIによる)自動運転」

□ **auto maton**[ɔ:támətàn] 名 ロボット, 自動機械
　　源 *auto*＋*maton*（考える）
　　★複数形はautomata。automaticもこれと同じ語源。

□ **auto mation**[ɔ̀:təméɪʃən]
　　名 自動化, オートメーション
　　源 automatic＋operation（操作）の短縮形

☐ **autistic**[ɔ:tístɪk] 形 自閉症の　★自己中心的傾向があることから。
　　　名 自閉症の人

☐ **autism**[ɔ́:tìzm̩] 名 自閉症

☐ **automobile**[ɔ́:təməbìːl] 名 自動車
　　　源 *auto* + *mobile*（=move 動く）

☐ **autocracy**[ɔ:tákrəsi] 名 独裁政治
　　　源 *auto* + *cracy*（政治）=「自分だけでする政治」

☐ **autoimmune**[ɔ:táɪmjúːn] 形 自己免疫性の
　　　cf. autoimmune disease「自己免疫疾患」
　　　源 *auto* + *immune*（免疫の）
　　　★免疫機構が自分の体を攻撃する病気。リウマチなど。

コラム　**動 物 と ア ニ メ ／ 命 と 呼 吸**

animalとanimationの語源は同じだ。どちらもラテン語*anima*「息（魂）」から生まれた。animalは「息をするもの」、 animationは「(絵に)息を吹き込み動かしたもの」が元の意味なのだ。ちなみに日本語の「生き物」も「息物＝呼吸する物」が語源で、「生きる」も「息をする」から来ているそうだ。

bar

棒, 妨害

barは「(横)棒」の意味だが, 道路を封鎖するのに横木を使うことから「じゃまする」の意味に発展した。そのため*bar*を含む語にはじゃまや禁止を意味する単語が多い。

□ **bar**[báɚ]
動〈道を〉ふさぐ, ～を禁止する
名 障害, 妨害
　例 bar his way to success
　「彼の成功への道をふさぐ」

□**barrier**[bǽɚriɚ] 名 障害, 障壁, 限界
　例 a language barrier 「言葉の壁」

word family

□**embargo**[embáːɚgou] 名 (他国との)貿易禁止, (船の)出入り禁止
　源 *em* (中へ)＋*bar*＝「棒を投げ入れて妨げる」
□**embarrass**[embǽɚrəs] 動〈人〉をまごつかせる, 恥ずかしい思いをさせる
　源 *em* (中へ)＋*bar*＝「棒を投げ入れて困らせる」が元の意味。
□**barricade**[bǽɚrəkèid] 名 バリケード, 障害物
　源 *bar*＋*rel* (たる)＝「たるを積み上げて作った壁」
　★たるも元は棒を集めて作ったもの。
□**barrage**[bɚráːʒ] 名 ①集中砲火, 連射　②ダム, 堰
　源 「流れを妨げるもの」→「敵を防ぐ集中砲火」

bat

たたく

*bat*は「たたく」から「戦う」に発展した。日本語の「戦う」も「たたき合う」から生まれたという説がある。beat「～をたたく，～に打ち勝つ(→p106.)」も同じ語源。

□ **bat**[bǽt] 名 バット，こん棒
　　動 ～をバットで打つ

□ **batter**[bǽtə]
　　動 ～をぼこぼこ殴る，連打する

□ **battle**[bǽtl] 名 戦い，戦闘

□ **battalion**[bətǽljən] 名 大隊，大軍

□ **combat**[kámbæt] 名 戦闘
　　源 *com*（ともに）＋*bat*
　　＝「なぐり合う」

□ **debate**[dɪbéɪt] 名 ディベート，討論 動 討論する
　　★言葉でなぐり合うイメージ。

bene vs. mal

良い ⇔ 悪い

bene は「善」,その反対が*mal*「悪」だ。ローマ教皇の名Benedictus「ベネ デクトゥス」は*bene*(よい)+*dict*(言葉)=「祝福」の意味。malware「マル ウェア」とは*mal*(悪い)+(soft) ware「ソフトウェア」で,ウイルスなどの 有害なプログラムのこと。malvertisingは*mal*+advertising(広告)で「悪 質な広告」だ。また*Harry Potter*のキャラクター Malfoyは*mal*+foi(フ ランス語で「信頼」)=「不誠実,悪意」を意味するという説がある。

☐ **bene fit**[bénəfit] 名 利益 動 利益を得る,〜の利益になる
　　形beneficial 有益な,ためになる
　　源 *bene*(良い)+*fit*(する,作る)=「良い行為,作用」
☐ **bene ficiary**[bènəfíʃièəri] 名 受益者,(遺産の)相続人
☐ **bene factor**[bénəfæktə] 名 恩人,後援者
　　源 *bene*(良い)+*fact*(行ない)+*or*(する人)　　　　*fact*→p.167

□**bene****volent**[bənévlənt] 形 優しい, 気前がいい ⇔malevolent 悪意を持つ

源 *bene*＋*volent*（意志を持つ）

cf. volunteer 名 ボランティア（自分の意志で働く人）

□**ben****ign**[bənáɪn] 形 ①優しい　②良性の ⇔形 malignant, malign

□**mal****ignant**[məlígnənt] 形 （ガンなど）悪性の

例 malignant melanoma 「悪性黒色腫」

□**mal****ice**[mælɪs] 名 悪意

★映画「破線のマリス」はこれから。 形 malicious

□**mal****function**[mælfʌŋkʃən] 名 故障, 機能不良

源 *mal*＋*function*（機能）

□**mal****aria**[məléəriə] 名 マラリア

源 *mal*（悪い）＋*aria*（=air 空気）。

★悪い空気が原因と思われていた。イタリア語。

□**mal****ady**[mælədi] 名 （社会の）深刻な問題

★フランス語maladie 「病気」から。

□**mal****nutrition**[mæln(j)u:tríʃən] 名 栄養不良

源 *mal*＋*nutrition*（栄養）

nutri→*p*.216

bio

生

*bio*にはlifeや漢字の「生」と同じく「生命,生物,生活,人生」などのさまざまな意味がある。最近は生物学の発展で生物関係の用語が増えてきた。

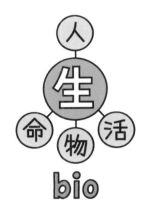

□**biometric identification** 名生体認証

　　★指紋や網膜での本人確認。

　　源 *bio* ＋ *metric*（計測の）＝「生体を計測する」

□**bioinformatics** [bàiəuìnfəmǽtiks] 名生物情報科学

　　源 *bio* ＋ *informatics*（情報科学）

□**antibiotic** [æ̀ntibaiɔ́tik] 名抗生物質

　　源 *anti*（対抗する）＋ *bio* ＝「微**生物**に対抗する物質」

2

語
源
編

word family

生物学の発展により, *bio* がつく語が増えている。

□ **biology** [baɪɑ́lədʒi] 名 生物学

源 *bio* + *logy* (学)　　　　　　　　　　　　　　*logy*→p.201

□ **biopsy** [báɪɑpsi] 名 生体組織検査, 生検

源 *bio* + *opsy* (見る)

□ **biodiversity** [bàɪɑdəvə́ːsəti] 名 生物多様性

源 *bio* + diversity (多様性)　　　　　　　　　*diversity*→p.280

□ **biography** [baɪɑ́grəfi] 名 伝記

源 *bio* (人生) + *graphy* (書く, 記録)

□ **biohazard** [bàɪɑhǽzəd] 名 生物的危害, バイオハザード

□ **biochemistry** [bàɪɑkémɪstri] 名 生化学

□ **biomass** [báɪɑmæs] 名 ①生物量 (ある地域の生物の総(重)量)

②燃料に使われる生物由来の再生可能な材料 (薪, 木炭, エタノールなど)

□ **biodegradable** [báɪɑdɪgrèɪdəbl] 形 生分解性の

源 *bio* + *degrade* (分解する) + *able* (可能)

★プラスティックなどがバクテリアによって分解される性質のこと。

□ **bioengineering** [báɪɑ-èndʒəníərɪŋ] 名 生物工学 (biotechnology)

□ **bioethics** [bàɪɑéθɪks] 名 生命倫理学

★中絶, クローニング, 遺伝子治療などに関する倫理。

□ **biofuel** [báɪɑ-fjùːəl] 名 バイオ燃料 (*biomass* ②から作った燃料)

□ **bioluminescence** [báɪɑ-lùːmənésns̩] 名 生物発光

源 *bio* + *lumin* (光)　cf. illumination 名 イルミネーション　　*lumin*→p.202

□ **biome** [báɪoʊm] 名 生物群系

★気候区分に対応する生物群のタイプ。ツンドラ, サバナ, 熱帯雨林など。

□ **biotope** [báɪətòʊp] 名 ビオトープ (特定の生物群が生活する区域・環境)

源 *bio* + *topos* (場所)

□ **symbiosis** [sìmbióʊsɪs] 名 共生

源 *sym* (=*syn* 共に) + *bio* (生きる) + *sis* (こと)

□ **bioweapon** [bàɪɑwépn̩] 名 生物兵器

124

ceed, cede, cess

行く、進む

この3つはすべてgoの意味を持つラテン語cedereが変化したもの。
ceedで終わる動詞の名詞形は *cess* か *cession* で終わる物が多い。

□ **recede**[risíːd] 動 後退する
　　源 *re* (後ろに) ＋ *cede*　*re*→p.243

□ **recession**[rɪséʃən]
　名 後退, 景気後退 (不景気)

□ **recess**[ríːses|rɪsés] 名 休憩, 休暇
　　　源 「仕事から退くこと」

□ **exceed**[ɪksíːd] 動 超える, 余る
　　源 *ex* (外に) ＋ *ceed*

ex→p.163

recede

□ **excess**[ɪksés] 名 超過, 余り
□ **excessive**[ɪksésɪv] 形 過度の, 極端な

exceed

excess

succeed

fail

□ **succeed**[səksíːd]
動 ①成功する ②～を継ぐ
③次に続く
源 *suc* (=*sub* 次に)＋*ceed*

sub→p. 260

★計画が**最後まで続けば成功**, 途中で
止まれば失敗だ。

例 Nothing succeeds like success.
「成功ほど続くものはない」＝ひとつに成功すると他のことにも波及するという
ことわざ。

□ **success**[səksés] 名 成功
□ **successful**[səksésfl] 形 成功した
□ **succession**[səkséʃən] 名 ①連続 ②(地位の)継承
□ **successive**[səksésɪv] 形 連続した
□ **successor**[səksésə] 名 形 後継者 ⇔predecessor 前任者

word family

□ **proceed**[prəsíːd] 動 ①進む, ②始める(+to V)
源 *pro* (前へ)＋*ceed*

pro→p.232

□ **process**[práses] 名 過程, プロセス
□ **procession**[prəséʃən] 名 (人の)行列, 行進
□ **procedure**[prəsíːdʒə] 名 作業の進め方, 手順, 処置
□ **precede**[prisíːd] 動 ～に先行する
源 *pre* (以前に)＋*ceed*

pre→p.232

□ **unprecedented**[ʌnprésɪdəntɪd] 形 前例がない
源 *un* (否定)＋*precedented* (=*preceded*)
□ **access**[ǽkses] 名 ①通路, 行き方 ②利用権, アクセス
□ **concede**[kənsíːd] 動 ～をしぶしぶ認める, 譲歩する
源 *con* (共に)＋*cede*=「(人と)共に歩む」
□ **concession**[kənséʃən] 名 譲歩, 承認
□ **secession**[sɪséʃən] 名 〈組織からの〉脱退, 分離
例 the Secession 「ウィーン分離派」 ★グスタフ・クリムト, エゴン・シーレなどの美
術家集団。伝統からの分離を主張した。

ceive, cept, cap(t), cipate

取る，取り入れる

*ceive*と*cept*はともにラテン語capere「**取る**」が起源。accept「受け入れる」，receive「受け取る」もここから。*cap (t)，cipate*もほぼ同じ意味の語根。

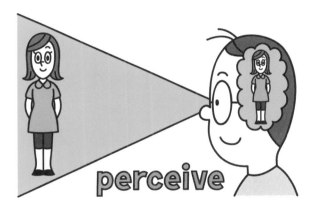

☐ **perceive**[pərsíːv] 動 〜を認識する，気付く

　　源 *per*（完全に，全体を）+*ceive*＝「対象全体をとらえる」

☐ **perception**[pərsépʃən] 名 知覚，認識

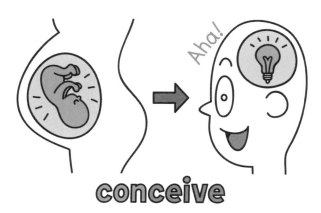

conceive

- □ **conceive**[kənsíːv] 動 ①〈考え〉を思いつく,抱く ②〈子〉を妊娠する
  - ★「(子宮に)子を取り入れる＝妊娠する」の意味がのちに「頭に〈考え〉を宿す」に発展した。
- □ **conception**[kənsépʃən] 名 ①考え,着想 ②妊娠
- □ **contraception**[kàntrəsépʃən] 名 避妊
  - 源 *contra*〔=against〕+ *conception*
- □ **concept**[kánsept] 名 概念

- □ **exception**[ɪksépʃən] 名 例外
  - 源 *ex*〔外に〕+ *cept*＝「取り出された」
  - ★原則に当てはまらないものを除**外**するイメージ。
    normは「原則,通例」でexceptionの反対語。
- □ **except**[ɪksépt] 前 接 〜を除いて
  - ★exceptionと同じ語源。

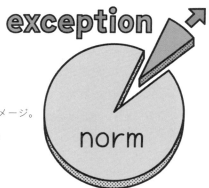

───(**word family**)───

- □ **deceive**[dɪsíːv] 動 〜をだます 名 deception, deceit
  - 源 *de*〔離して〕+ *ceive*＝「(だまして)奪う」
- □ **capture**[kǽptʃə] 動 〜を捕える,〈心など〉を引きつける
- □ **capacity**[kəpǽsəti] 名 ①収容力,定員 ②能力〔ability〕
- □ **participate**[pɑətísəpèit] 動 参加する〔+in 〜〕=take part
  - 源 *part*〔役割〕+ *cipate*〔=take〕

centr

中心

centerの意味を持つ語根。〜 *centric* の形の形容詞が多い。

☐ **egocentric** [ì:gouséntrik] 形 自己中心的な (=selfish, self-centered)

　源 *ego* (自分) + *centric*

　★〜 *centric* で「〜中心の」という形容詞になる。

☐ **ethnocentric** [èθnouséntrik] 形 自民族中心主義の

　源 *ethno* (民族) + *centric*

☐ **anthropocentric** [ænθrəpouséntrik] 形 人間中心の

　源 *anthropo* (人間) + *centric*

☐ **heliocentric** [hì:liouséntrik] 形 太陽中心の

　源 *helio* (太陽) + *centric*　⇔geocentric→p.182

☐ **concentrate**[kɔ́nsəntrèit]

動(〜を)集中する

源 *con*(=together)+*centr*

☐ **concentric**[kənséntrik]

形同じ中心を持つ

例 concentric circles「同心円」

☐ **eccentric**[ıkséntrık] 形風変わりな, 普通でない

源 *ec*(=*ex* 外)+*centr*=「中心からはずれた」→「変な」

word family

☐ **central**[séntrəl] 形最重要な, 中心的な,

◇ **centrifugal force**「遠心力」

源 *centr*+*fugal*(逃げる)=「中心から逃げようとする」

☐ **epicenter**[épəsèntə] 名震央(震源の真上の地点)

源 *epi*(上)+*center*

130

cid, cad, cas

落ちる, 起きる

cid, *cad*, *cas*はすべてラテン語cadere「落ちる」の変化形から。「落ちる, 降ってくる」から「偶然起きる」「何かが起きた場合」などの意味に広がった。accidentは*ac* (=*ad* 対して)＋*cid* (落ちる)＝「人に降りかかるもの」→「事故」という成り立ちだ。日本語の「降ってわいた災難」のようなイメージ。

accident　coincidence

☐ **incident** [ínsɪdənt] 名 事件, ハプニング
　　源 *in* (上に)＋*cid* (落ちる)
☐ **incidence** [ínsɪdəns] 名 発生率, 件数
☐ **coincidence** [kouínsədns] 名 偶然の一致
　　源 *co* (いっしょに)＋*in*＋*cid*

□ **case**[kéɪs] 名①場合,事例　②事件　③症例

　　源「落ちて来るもの」→「(偶然)起きること」

□ **casual**[kǽʒuəl] 形①何気ない,不注意な　②偶然の　★②が原義。

　　源「落ちて来る」→偶然の

□ **casualty**[kǽʒuəlti] 名 被害者,犠牲者

　　源「偶然事故に遭った人」の意味。

□ **occasion**[əkéɪʒən] 名①場合　②行事　③機会

　　源 *oc* (=*ob* 下に)+*cas*

　□ **Occident**[ɑ́ksədṇt] 名 (the+)西洋　⇔Orient東洋

　　源 *Oc* (下に)+*cid*→「太陽が落ちる土地」

　□ **cascade**[kæskéɪd] 名①滝　②滝状に垂れたもの

　　源「落ちるもの」が原義。

　□ **cadence**[kéɪdṇs] 名①(声の)抑揚　②(音楽)終止

　□ **deciduous**[dɪsídʒuəs] 形 (木が)落葉性の

　　源 *de* (下に)+*cid*

cide, cise, sci(s)

切る

*cide, cise*は「切る」の意味から「殺す」の意味にも発展する。*sci (s)*も「切る」を意味する。

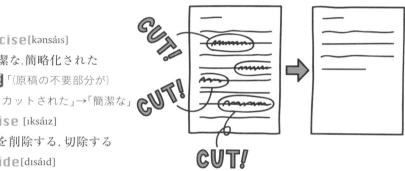

- ☐ **concise**[kənsáıs]
  - 形 簡潔な,簡略化された
    - 源 「(原稿の不要部分が)カットされた」→「簡潔な」
- ☐ **excise** [ıksáız]
  - 動 ～を削除する,切除する
- ☐ **decide**[dısáıd]
  - 動 ～を決意する,決断する,決定する
    - ★「思い**切る**」も「切る」を含む。漢字の「**決**」も「**断**」も本来は「**切る**」の意味。
- ☐ **decision**[dısíʒən] 名 決定,決断

～*cide*で「～を殺すこと〔もの〕」の意味になる。

☐ **sui**cide[súːəsàɪd] 名 自殺

　　源 *sui*（自分）＋*cide*

☐ **geno**cide[dʒénəsàɪd] 名〈民族の〉大量殺人

　　源 *gen*（全て）＋*cide* 　　　　　　　　　　*gen*→p.179

☐ **homi**cide[háməsàɪd] 名 殺人

　　源 *homo*（人）＋*cide*

☐ **pesti**cide[péstəsàɪd] 名 殺虫剤

　　源 *pest*（害虫）＋*cide*

☐ **insecti**cide[ɪnséktəsàɪd] 名 殺虫剤

　　源 *insect*（昆虫）＋*cide*

☐ **herbi**cide[hə́ːbəsàɪd] 名 除草剤

　　源 *herb*（草）＋*cide*

☐ **infanti**cide[ɪnfǽntəsàɪd] 名 幼児殺し

　　源 *infant*（幼児）＋*cide*

☐ **sci**ssors[sízəz] 名 はさみ

☐ **sci**ence[sáɪəns] 名 科学

　　源「対象を切り分ける＝分析する」が原義。

☐ **schizo**phrenia[skìtsoʊfríːniə] 名 統合失調症

　　源 *schizo*（=*sci*切る）＋*phrenia*（精神）=「精神が分裂すること」

　　「チャオ！」とスラブ人

Ciao!「チャオ!」は英語でも別れるときなどにつかわれるイタリア語のあいさつだが, 実はciaoはイタリア語のschiavo「奴隷」が変形したもの。つまり本来Ciao!は**「私はあなたのしもべです」**というえらくへりくだったあいさつだったのだ。さらにさかのぼればschiavoは英語のslave「奴隷」と同じく, ラテン語のSclavus「スラヴ人(英語ではSlav)」から来ている。中世にはスラヴ人の奴隷が多かったからだ。

circ, circa, circu(m)

周囲、回る

circle「円, サークル」の語源。circus「サーカス」も円形の舞台が語源。

circumstance

☐ circum**stance**[sə́:kəmstæns] 名 周囲の状況, 生活状態

★複数形が多い。

源 *circum*（周囲に）+ *stance*（あるもの）

sta→p.256

☐ circum**ference**[səkʌ́mfərəns] 名 円周

源 *circum* + *fer*（運ぶ）

☐ circ**uit**[sə́:kət] 名 ①周回 ②回路 ③サーキット

☐ circ**ular**[sə́:kjələ] 形 丸い, 周囲を回る, 循環論的な

☐ circ**ulate**[sə́:kjəlèit] 動 循環する

語
源
編

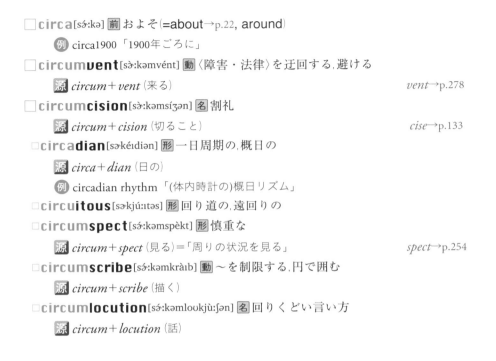

word family

☐ **circa**[sə́:kə] 前 およそ(=about→p.22, around)

例 circa1900「1900年ごろに」

☐ **circumvent**[sə̀:kəmvént] 動〈障害・法律〉を迂回する, 避ける

源 *circum*＋*vent*(来る)　　　　　　　　　　　　　　*vent*→p.278

☐ **circumcision**[sə̀:kəmsíȝən] 名 割礼

源 *circum*＋*cision*(切ること)　　　　　　　　　　　*cise*→p.133

☐ **circadian**[səkéɪdiən] 形 一日周期の, 概日の

源 *circa*＋*dian*(日の)

例 circadian rhythm「(体内時計の)概日リズム」

☐ **circuitous**[səkjú:ɪtəs] 形 回り道の, 遠回りの

☐ **circumspect**[sə́:kəmspèkt] 形 慎重な

源 *circum*＋*spect*(見る)＝「周りの状況を見る」　　　*spect*→p.254

☐ **circumscribe**[sə́:kəmkràɪb] 動 ～を制限する, 円で囲む

源 *circum*＋*scribe*(描く)

☐ **circumlocution**[sə́:kəmloʊkjù:ʃən] 名 回りくどい言い方

源 *circum*＋*locution*(話)

コラム　　宇宙と花と化粧品

cosmosにはどうして「**宇宙**」と植物の「**コスモス**」というまったく無関係に思える意味があるのだろう？ 起源はギリシャ語のkosmos「**秩序**」で, そこからcosmosの「(秩序ある)宇宙」の意味が生まれた。花のほうは, スペイン人宣教師たちが, メキシコでこの花を見てその形が整っていることに感心し, cosmosの名をあたえたと言われている。一方cosmetics「**化粧品**(いわゆる「コスメ」)」という言葉もcosmosから来ている。「**秩序→きちんと整える→化粧する**」という道をたどって生まれた。

cl

くっつく, 固める

*cl*は「くっつく, 固める, 集める」という意味を持つ言葉に多い。

☐ **cling**[klíŋ] 動 しがみつく, くっつく, 執着する(+to)

☐ **cluster**[klʌ́stə] 名 (物, 人の)集まり, かたまり, 星団

★同じ場所で発生した感染者の集団もcluster (クラスター)という。

☐ **clot**[klát] 名 (血などの)かたまり 動 固まる, 〜を固める

☐ **clod**[klád] 名 (土などの)かたまり

☐ **clutch**[klʌ́tʃ] 動 〜を握りしめる, つかむ

☐ **clench**[kléntʃ] 動 〈歯〉をくいしばる, 〈手〉を握りしめる

例 clench my fists 「拳を固める」

☐ **clinch**[klíntʃ] 動 ①〈取引, 試合, 議論など〉に決着をつける, 固定する

②抱きしめる ★ボクシングで抱きついて相手の動きをとめることもclinch 「クリンチ」という。

源 clenchの変形

☐ **clasp**[klǽsp] 動 ①〜を握りしめる ②〜を抱きしめる

☐ **clip**[klíp] 名 クリップ, 留め金

clin, clim

傾く

*clin*は「傾く, 曲がる」を意味する。リクライニングチェアのreclineは*re*（＝back）＋*clin*で「後ろに傾ける」の意味。

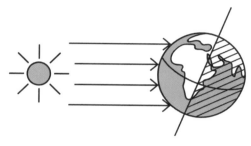

□ **climate**[kláɪmət] 名 気候

★「気候」は**地軸の傾き**により日光の
角度が違うことで生まれる。

◇ **climate change** 「気候変動」

□ **acclimated**[ǽkləmèɪt]
形〈状況や気候に〉慣れた

□ **decline**[dɪkláɪn] 動 ①低下する, 減少する ②（丁重に）断る

源 *de*（下へ, 離れて）＋*cline*

★①はグラフが下に傾くイメージ, ②は身体を離して傾け, 相手を避けるイメージ。

□ **incline** [ɪnkláɪn] 動 ～を傾ける，
〈人〉の心を向けさせる

★下の形で使われることが多い。

◇ **be inclined to V**「Vしたい気が
する，Vする傾向がある」

源「V（行為）に向けて心が傾く」

clude, cluse, clause, close

閉じる

close「閉じる」の語源もこれ。「閉じる」の意味から「閉じこもる」，「終わる」
などの意味にも発展する。

□ **clause** [klɔ́ːz] 名（文法用語）節

★文の中にあって文の構造（S＋V）を持つ**閉
じられた部分**がclauseだ。

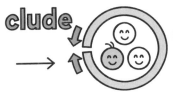

□ **include** [ɪnklúːd]
動 ～を含む

□ **exclude** [ɪksklúːd]
動 ～を除外する，排斥する

★ includeは外のものを中に入れ
て閉める，excludeは中のもの
をはじき出して閉めるイメー
ジ。

139

◇**exclusive economic zone**〔EEZ〕「排他的経済水域」

☐**preclude**[prɪklú:d] 動 〜を前もって防ぐ,妨げる　=prevent
　　★*pre*（前もって）+*clude*（〔ドアを〕閉める）ことで入るのを防ぐイメージ。　*pre*→p.232

word family

☐**conclude**[kənklú:d] 動 終わる,結論を出す
　　源 *con*（完全に）+*clude*
　　　　　　　　　　　　　　　　　　　　　　　　　　　　con→p.141
☐**conclusion**[kənklú:ʒən] 名 結論,締めくくり
☐**secluded**[sɪklú:dɪd] 形 隠れ家的な,隔離された
　　源 *se*（離れて）+*clude*（閉じこもる）
　　　　　　　　　　　　　　　　　　　　　　　　　　　se→p.248
☐**recluse**[réklu:s] 名 孤独が好きな人,引きこもり
☐**claustrophobia**[klɔ̀:strəfóʊbiə] 名 閉所恐怖症
　　源 *claustro*（閉ざされた所）+*phobia*（恐怖症）

con, co, com, col, cor

いっしょに (with, together)

ラテン語の*com*「いっしょに,共に」に由来する。with (→p.107)と似て,「共同,共通,協力,共感」などの意味を持つ語につくことが多いが,「対立,争い,衝突」系の語にも多い。どちらも2つ以上のものがいっしょに状況に加わっているという点では同じ。また,多くのものがいっしょになることから「構成,構築」や「接触,混合」,「混乱,複雑」系の語にも広がる。*con*は次に来る文字により次のように変わる：*co*+母音字：*com*+b, m, p：*col*+l：*cor*+r

なお,「対して,反抗して」を意味する*contra*, *counter*は*con*から派生した。con「反対意見」という語はこの*contra*が略されたもの。

● 共同, 共通, 協力, 共感

companion

☐ **common**[kámən] 形 ①共通の ②普通の

☐ **community**[kəmjú:nəti] 名 共同体,社会

★commonと同語源。

☐ **cooperation**[kouɑ̀pəréɪʃən] 名 協力

源 *co*+operation (働き)

☐ **collaboration**[kəlæ̀bəréɪʃən] 名 共同作業,合作

源 *col*+labor (仕事)

2
141

□ co**worker**[kóʊwɚːkə] 名 仕事仲間

□ com**pany**[kʌ́mpəni] 名 ①会社 ②仲間

□ com**panion**[kəmpǽnjən] 名 仲間, 連れ

　　源 *com* + *pan* (パン) = いっしょにパンを食べる人

□ con**sent**[kənsént] 名 許可, 同意 動 同意する(＋to)

　　源 *con* + *sent* (=sense 感じる)

□ con**sensus**[kənsénsəs] 名 全員一致の意見　★上と同語源。

□ com**passion**[kəmpǽʃən] 名 同情

　　源 *com* + *passion* (苦しみ) = 「共に苦しむ」　　*passi*→p.219

□ con**dolences**[kəndóʊləns] 名 お悔やみ(の言葉)

　　源 *con* + *dole* (悲しみ)

●**対立, 争い, 衝突**

□ con**flict**[kánflɪkt] 名 紛争, 対立

　　源 *con* + *flict* (たたく) = 「たたき合う」

□ con**test**[kántest] 名 競争, 論争, コンテスト

□ con**tend**[kənténd] 動 争う, 論争する, 主張する

□ con**front**[kənfrʌ́nt] 動 ①(問題が)〈人の前に〉立ちふさがる (=face)

　　源 *con* + front (ひたい) = 「ひたいを向き合わせる」

□ com**pete**[kəmpíːt] 名 競争する

　　源 *com* + *pete* (求める)　　*pete*→p.225

●構成，構築

◇A consist of B 「AがBで構成される」

◇A comprise B 「①AがBで構成される ②AがBを構成する」

□ **con**struction[kənstrʌ́kʃən] 名建設，構造，構文

　源 con＋struct（積み上げる）⇔destruction 破壊

□ **con**stitute[kánstətjùːt] 動〜を構成する　stitute→p.256

□ **com**ponent[kəmpóʊnənt] 名構成要素，部品　pose→p.229

●接触，混合，汚染

□ **con**tact[kántækt/kəntǽkt] 名接触，連絡 動〜に連絡する

　源 con＋tact（触れる）

　例 close contact 「(感染者との)濃厚接触(者)，密接な関係」

□ **con**tamination[kəntæ̀mənéɪʃən] 名汚染

　源 con＋tami（触れる）

□ de**con**tamination[dìːkəntæ̀mənéɪʃən] 名(放射能などの)除染，浄化

□ **con**tagious[kəntéɪdʒəs] 形接触で感染する

　源 con＋tagi（触れる）

●混乱，複雑

□ **con**fuse[kənfjúːz] 動〈人〉を混乱させる，〜を混同する　fuse→p.177

□ **con**found[kɑnfáʊnd] 動〈人〉を混乱させる

　源 con＋found（注ぐ）

□ **com**plicated[kámpləkèɪtɪd] 形複雑な

　源 com＋plic（重ねる）＝「重ね合わさった」

　★complexも同じ語源。　pli→p.226

「まとめる，圧縮する」の意味を持つ語が多い。

□ **com**pact[kəmpǽkt] 形ぎっしり詰まった，小型の

□ **com**press[kəmprés] 動〜を圧縮する　press→p.236

□ **con**dense[kəndéns] 動〜を濃縮する (dense＝濃い)

□ **con**centrate[kánsəntrèɪt] 動(〜を)集中する　centr→p.129

2

語源編

cord

心臓，心，中心

*cord*はラテン語cor「**心臓,心**」から。「**中心**」の意味にもなる。英語のheart
にも「心臓,心,中心」の意味がある。心臓を表す象形文字である漢字の「**心**」
もまったく同じ3つの意味を持つ。ギリシャ語 *cardio*「心臓の」も*cord*
と同源。

□ **accord**[əkɔ́əd] 名① (国と国の) 協定
　　　②一致，調和　⇔ discord 不一致，不和
源 *ac* (=*ad*=to 〜に)＋*cord* (心)＝「(心に)心を合わせる」
◇**according to** A「Aによると」
◇**in accordance with** A「Aに合わせて」

□ **concord**[kánkɔəd] 名 一致,協定,調和
　　　源 *con* (共に)＋*cord*＝「心をひとつにする」
□ **record**[rékəd] 名 記録 動 〜を記録する
　　　源 *re* (再び)＋*cord*　★元はrememberの意味
□ **cordial**[kɔ́ədʒəl] 形 心からの
□ **core**[kɔ́ə] 名 中核,核心
□ **courage**[kə́ːrɪdʒ] 名 勇気
　　　源 *cour* (*cor*の変形)　★heartにも「勇気」の意味あり。
□ **cardiac**[kɑ́ədiæ̀k] 形 心臓の
　　　例 cardiac arrest「心停止」

cre

生む, 成長する

ラテン語creare「生む」やcrescere「育つ」から。音楽で使うcrescendo「クレッシェンド(だんだん大きく)」の語源もこれ。*creat*, *crease*などの形にもなる。

□ **increase**[ɪnkríːs]
　動 増大する〔させる〕

□ **decrease**[dɪkríːs]
　動 減少する〔させる〕
　源 *de* (下に, 逆)+*cre*

□ **crescent**[krésn̩t] 名 三日月
　源「成長しつつある」が原義。

□ **croissant**[krəsάːnt] 名 クロワッサン
　源 crescentのフランス語。三日月型のパン。

□ **create**[kriéɪt] 動 ～を作り出す, 創造する

□ **creature**[kríːtʃə] 名 動物
　源「神に作られたもの」

□ **procreation**[prə̀ukriéɪʃən] 名 生殖, 繁殖　　　　*pro*→p.232

□ **recreation**[rèkriéɪʃən] 名 レクリエーション, 娯楽
　源 *re* (再び)+*create*=再生する→「元気を取りもどす」

□ **recruit**[rɪkrúːt] 動 (組織に)〈人〉を新しく入れる 名 新人
　源 *re* (再び)+*cruit* (=create)→「(新人を入れて)組織を再生する」

□ **incremental**[ìŋkrəméntl] 形 (金額など)増えていく 名 increment 増大

cris, crit, cern, etc

決める, 判断する, 区別する

「ふるいにかけて**選ぶ**」という意味から「**決める, 判断する**」という意味に発展。*cern* も同じ語源。

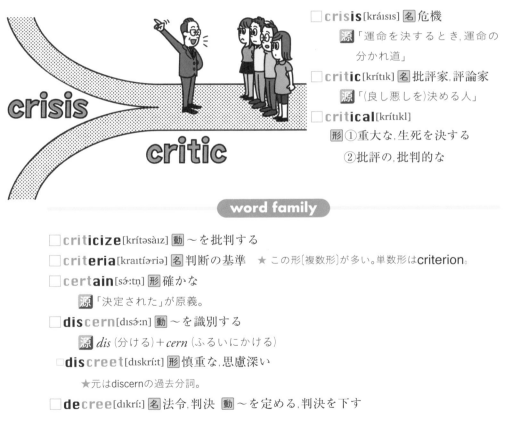

☐ **crisis**[kráɪsɪs] 名危機
　　源「運命を決するとき, 運命の分かれ道」
☐ **critic**[krítɪk] 名批評家, 評論家
　　源「(良し悪しを)決める人」
☐ **critical**[krítɪkl]
　　形①重大な, 生死を決する
　　　②批評の, 批判的な

word family

☐ **criticize**[krítəsàɪz] 動〜を批判する
☐ **criteria**[kraɪtíəriə] 名判断の基準　★この形[複数形]が多い。単数形は**criterion**。
☐ **certain**[sə́ːtn̩] 形確かな
　　源「決定された」が原義。
☐ **discern**[dɪsə́ːn] 動〜を識別する
　　源 *dis* (分ける)+*cern* (ふるいにかける)
☐ **discreet**[dɪskríːt] 形慎重な, 思慮深い
　　★元はdiscernの過去分詞。
☐ **decree**[dɪkríː] 名法令, 判決　動〜を定める, 判決を下す

cruci

ラテン語のcrux（=cross）から。cross「十字架」はキリストの受難を連想させ，苦しみや困難につながる。

crucial

語源編

☐ **crucial**[krúːʃl] 形①重大な，決定的な　②不可欠な

　　源「十字形の」が原義。十字路でどの道を選ぶか迫られて苦しんでいるイメージだ。

☐ **crucifixion**[krùːsəfíkʃən] 名 はりつけの刑

　　源 *cruci* + fix（固定する）

☐ **crucify**[krúːsɪfàɪ] 動①〜を十字架にかける　②厳しく批判する，罰する

　　源 *cruci* + *fy*（=fix）

☐ **excruciate**[ɪkskrúːʃièɪt] 動 〜をひどく苦しめる

　　源 *ex*（強意）+ *cruciate*（=crucify）

☐ **crusade**[kruːséɪd] 名①十字軍　②長期の改革〔反対〕運動

☐ **crux**[krʌ́ks] 名 問題の核心，最大の難点

　　源「十字架」が原義。

cur

注意, 世話

ラテン語cura「注意,世話,気づかい」にさかのぼる。careは別の語源だが意味の広がりは似ている。

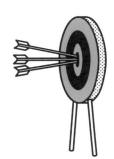

careful　accurate

□ **accurate**[ǽkjərət]

形 正確な

源 *a* (対して)

　　+*curate* (注意した)

★ 注意すれば狙いは正確になる。

□ **cure**[kjúɚ] 動 ～を治療する 名 治療法

□ **secure**[sɪkjúɚ] 形 安全な 名 security 安全,治安

源 *se* (離れた)+*cure*→「気づかいが要らない」

□ **sure**[ʃúɚ] 形 確信した　★ secureの変形。

□ **curator**[kjúɚréɪtɚ] 名 (博物館などの)館長,キュレーター

源 「気を配る人」の意味。

□ **manicure**[mǽnəkjùɚ] 名 マニキュア

源 *mani* (手)+*cure*　　　　　　　　　　　*manu*→p.205

□ **pedicure**[pédɪkjùɚ] 名 ペディキュア

源 *pedi* (足)+*cure*　　　　　　　　　　　*ped*→p.221

□ **curious**[kjúɚriəs] 形 ①好奇心が強い,知りたい　②奇妙な

源 (物に)注意をはらう→「知りたがる」

cur(s), course

走る，流れる

runと同じように，「走る」，「流れる」両方の意味を持つ。carやcareer, carry も元は同じ「走る」が語源。corridor「廊下」の*corri*も同じ語源で，本来は「走る場所」の意味。学校の廊下は走るとしかられるのに…。

□**currency**[kə́:rənsi] 名 通貨

★お金は人と人の間を流れるもの，「天下の回りもの」というイメージ。

◇**virtual currency**「仮想通貨」

□**current**[kə́:rənt] 名 流れ，電流

形 現在の（＝今の世に流通している）

◇**direct current**「直流」=DC

◇**alternating current**「交流」=AC

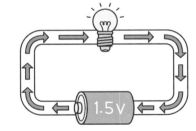

□**incur**[ɪnkə́:] 動 損害・危険などを招く，受ける

源 *in*（中へ）＋*cur*（走る）＝「危険に突入する」というイメージ。

例 incur a loss「損失をこうむる」

2

語源編

☐ **recourse**[ríːkɔərs] 名 頼ること, 頼りになるもの

源 *re* (=back) + *course* =「走って帰る場所」

★子が危険に遭って母親のもとに駆けもどるイメージ。run toにも「頼る」の意味がある。

cf. resort→p. 90

word family

☐ **course**[kɔ́ərs] 名 ①進路, コース, ②講座, 学習課程

源 「走る道」→「学問の道」

☐ **curriculum**[kəríkjələm] 名 カリキュラム, 学校の学習課程

源 courseと同じ「走る道」が原義。

☐ **extracurricular**[èkstrəkəríkjulə] 形 (学校の)正式課程以外の, 課外の

源 *extra* (=ex 外) + *curriculum*の形容詞形

◇**extracurricular activities** 「課外活動」

☐ **cursor**[kə́ːsə] 名 カーソル

★「走るもの」が原義。

☐ **cursory**[kə́ːsəri] 形 すばやい, ぞんざいな

★「走っている」が原義

例 give a cursory glance 「ちらっと見る」

☐ **concourse**[kánkɔəs] 名 (駅などの)広場, コンコース

源 *con* (集まる) + *course* (流れ) =「合流・集合地点」が原義。

☐ **precursor**[prɪkə́ːsə] 名 先駆者(forerunner), 前ぶれ

源 *pre* (前) + *cursor* (走るもの)

pre→p.232

cuse, cause

原因, 責任

「原因」,「責任」の意味。事故の原因となった人には責任があるから,このふたつは近い。cause「原因,引き起こす」, becauseも同じ語源。

accuse

excuse

☐ **accuse**[əkjúːz] 動 〜を責める,告訴する

源 *ac* (=*ad* 対して)+*cuse* (責任(を問う))

☐ **excuse**[ɪkskjúːz] 動 〜を許す

例 excuse oneself 「言いわけをする」

源 *ex* (外)+*cuse* (責任)=「責任からはずす」 *ex*→p.163

word family

☐ **inexcusable**[ìnɪkskjúːzəbl] 形 弁解の余地がない

◇ **causal relationship** 「因果関係」

demo

人々，地域

ギリシャ語のdemos「人々」から「人々が住む地域」の意味にも広がる。

demo**cracy**

□ demo**cracy**[dimάkrəsi]

　名 民主主義，民主政

　源 *demo*（人びとの）+*cracy*（政治）

□ demo**graphics**[dèməgrǽfɪks]

　名 人口統計

　源 *demo*+*graph*（記録）

□ en**demic**[endémɪk] 形 名 風土病，特定地域の（病気）

　源 *en*（中）+*demo*（地域）

□ epi**demic**[èpədémɪk] 名 形 病気の（広範囲の）流行

　例 AIDS epidemic「エイズの流行」

　源 *epi*（上）+*demo*（地域）

□ pan**demic**[pændémɪk] 名 病気の世界的流行

　★epidemicが全世界で起きること。

　源 *pan*（すべての）+*demo*（地域）

endemic

epidemic

pandemic

dia

まっすぐ横切って, 通り過ぎて

「まっすぐ横切って(across)」,「通り抜けて(through)」という意味を持ち,
発展して「全部,完全に」の意味にもなる。この発展はacrossやthroughに
もある。*across*→p. 24

□ **dia**meter[dáɪǽmətə] 名 直径

　源 *dia*＋*meter*（計る）

□ **dia**gonal[daɪǽgənl] 対角線の

　源 *dia*＋*gon*（角）　cf. *penta*（5）＋*gon*＝「五角形」

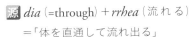

□ **dia**rrhea[dàɪəríːə] 名 下痢

　源 *dia*（=through）＋*rrhea*（流れる）
　　＝「体を直通して流れ出る」

□ **dia**betes[dàɪəbíːtəs] 名 糖尿病

　源 *dia*（=through）＋*betes*（=go）＝
　　「(糖が)尿に流れ出る」

---

word family

□ **dia**logue[dáɪələ̀(ː)g] 名 対話, 会話

　源 *dia*（=across）＋*logue*（話す）＝「相手と話す」

　★get A across「A（考え）を相手にわからせる」と同じイメージ。

□ **dia**gnosis[dàɪɪgnóʊsəs] 名 診断

　源 *dia*（完全に）＋*gnosis*（知）＝「(病気を)完全に知ること」

□ **dia**chronic[dàɪəkrɑ́nɪk] 形 通時的な(歴史を通じた)　⇔synchronic 共時的な

　源 *dia*（=through）＋*chronic*（時間の）

□ **dia**phragm[dáɪəfræ̀m] 名 横隔膜

　源 *dia*＋*phragm*（仕切り）＝「胸を横切る仕切り」

dict

言う，言葉

*dict*は動詞としては「言う」，名詞としては「言葉」の意味になる。言葉を集めたのがdictionary。

☐ **dictate**[díkteɪt]
動①〜を要求する，決定する
　②〜を書きとらせる

☐ **dictator**[díkteɪtɚ] 名 独裁者
　　★「命令を言って書きとらせる者」の意味。

word family

☐ **predict**[prɪdíkt] 動 〜を予言する，予測する 名 prediction 予言
　　源 *pre*（前もって）+ *dict*
　　　　　　　　　　　　　　　　　　　　　　pre→p.232

☐ **contradict**[kɑ̀ntrədíkt] 動 ①〜と矛盾する　②〜に反論する
　　名 contradiction 反論
　　源 *contra*（=against）+ *dict*＝「反することを言う」

☐ **verdict**[vɚ́:dɪkt] 名（陪審員団が出す）評決
　　源 *ver*（真の）+ *dict*（言葉）　　cf. very 形 本当に，verify 動 〜を証明する

☐ **diction**[díkʃən] 名 言葉づかい，言い方
　　★dictionaryは*diction*（言葉）+ *ary*（貯蔵庫）の意味。

☐ **dictum**[díktəm] 名 格言

☐ **ditto**[dítoʊ] 名 前と同じ，同上
　　★イタリア語dire「言う」の過去分詞detto「（すでに）言われた」から。*dict*と同語源。

dis, di

離れて，取り去って，否定

「離れて，取り去って」などの意味から否定・反対の意味も表すようになった。なお*de*も分離や除去の意味になることがある。

●取り去る→あばく

☐ dis**cover** [dɪskʌ́vɚ] 動 ～を発見する

　源 *dis*＋*cover*＝「おおいを取り去る」

☐ dis**close** [dɪsklóʊz] 動 ～を暴く，発表する

　源 *dis*（逆）＋*close*（閉める）＝「開く」

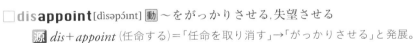

☐ dis**appoint** [dìsəpɔ́ɪnt] 動 ～をがっかりさせる，失望させる

　源 *dis*＋*appoint*（任命する）＝「任命を取り消す」→「がっかりさせる」と発展。

☐ **disappointing**[dìsəpɔ́ɪntɪŋ] 形 期待はずれの

☐ **disappointed**[dìsəpɔ́ɪntɪd] 形 がっかりした

☐ **discourage**[dɪskə́:rɪdʒ]

　　動 ①〜をがっかりさせる　②〜をやめさせる, 抑制する　⇔encourage

● 離す→区別する

☐ **distinguish**[distíŋgwiʃ]

　　動 〜を区別する

　　★「切り離す」→「区別する」

☐ **distinct**[distíŋkt]

　　形 非常に異なる, 明瞭な

　　★元はdistinguishの過去分詞。

☐ **discrete**[dɪskríːt]

　　形 別々の, 関連がない

☐ **discrepancy**[dɪskrépn̩si] 名 相違, 食い違い

☐ **differ**[dífə] 動 異なる

☐ **discriminate**[dɪskrímənèɪt] 動 〜を差別する

● 離す→広げる

☐ **distribute**[distríbju(ː)t]

　　動 〜を配る, 配布する

　　源 *dis* + *tribute*（与える）

　　★先生がプリントを手元から **離して**与えるイ
　　　メージ

☐ **disperse**[dɪspə́:s]

　　動 〜をまき散らす（=scatter）, 分散させる

　　源 *dis*（離して）+ *perse*（散らす）

　　cf. diffuse→p.178

●捨てる，放出する

□ dis**card**[diská:rd]

動 〈不要なもの〉を捨てる

源 *dis*＋*card*（トランプ）

★ 「〈不要カード〉を捨てる」から意味が
広がった。

◇dis**pose of A**

「Aを捨てる，処分する」

□ dis**charge**[dɪstʃáːdʒ]

動 ①〜を放出する，〈荷〉を降ろす，
②〈人〉を解雇〔解放〕する

□ dis**burden**[dɪsbə́:dṇ] 動 〜から重荷を取る

● dis 「否定，逆」

□ dis**honest**[dɪsánəst] 形 不正直な

□ dis**abled**[dɪséɪbld] 形 心身に障害がある

源 *dis*＋*able*（能力がある）

□ dis**gust**[dɪsɡʌ́st] 名 嫌悪

源 *dis*＋*gust*（好み）

□ dis**belief**[dìsbɪlíːf] 名 不信，疑惑

□ dis**satisfaction**[dìssætəsfǽkʃən] 名 不満

□ dis**respect**[dìsrɪspékt] 名 無礼，不敬

□ dis**comfort**[dɪskʌ́mfət] 名 不快

□ dis**appear**[dìsəpíə] 動 消える（⇔appear）

□ dis**agree**[dìsəgríː] 動 同意しない（⇔agree）

□ dis**sent**[dɪsént] 動 同意しない（⇔consent, assent）

□ dis**count**[dískaʊnt] 動 〜を割り引く

□ dis**armament**[dɪsáəməmənt] 名 軍備縮小（⇔armament）

源 *dis*＋*arms*（兵器）

□ dis**connect**[dìskənékt] 動 〜を切り離す（⇔connect）

□ dis**continue**[dìskəntínjuː] 動 〜を中断する，打ち切る

□ dis**engage**[dìsŋɡéɪdʒ] 動 〜を取りはずす，解放する

dom, domin

家，支配，優越

ラテン語のdomus「家」から「(教会などの)ドーム」の意味になった。*domin*は「家の主」の意味で，そこから「支配」，さらに「優越」も意味することになる。ロシア語の「家」дом (ドーム)やイタリア語のduomo「教会(＝神の家)」も同じ語源。AD→p. 114

□**dom**e[dóʊm] 名ドーム（丸屋根）

□**dom**estic[dəméstɪk] 形家庭の

◇**dom**estic violence「家庭内暴力(DV)」

　□**dom**icile[dáməsàɪl] 名①住居　②住所

□**domin**ate[dámənèɪt] 動〜を支配する

□**domin**ant[dámənənt] 形支配的な，優越した，優性の

　名 dominance 優越，支配，優性

□**dom**ain[doʊméɪn] 名①(学問などの)領域　②領地

□**domin**ion[dəmínjən] 名①支配権　②領地(＝支配される土地)

duce, duct

引く，引き出す，導く

*duce, duct*はpull「引く」の意味から「引き出す」，さらにlead「導く」の意味へと発展する。

☐ **reduce**[rɪd(j)úːs] 動 ① ～を減らす
② ～を〈否定的状態に〉変える
　　源 *re* (=back)＋*duce*＝「引きもどす」
　　→「削減する」

☐ **reduction**[rɪdʌ́kʃən] 名 削減

☐ **educate**[édʒəkèɪt] 動 ～を教育する
　　源 *e* (=ex 外へ)＋*ducate* (=*duce*)
　　★「(人から才能を)引き出す」が原義。

☐ **induction**[indʌ́kʃən]
名 ①帰納　★ 個々のデータを取り入れて法則を導き出すこと。②誘導，誘発
　　源 *in* (中へ)＋*duct*

☐ **induce**[ɪnd(j)úːs]
動 ～を引き起こす，誘導する

☐ **deduction**[dɪdʌ́kʃən]
名 ①演繹，推論　★ 演繹とは個々の例について法則から結論を導き出すこと。②差し引くこと，控除
　　源 *de* (から)＋*duct*

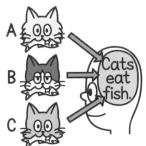

induction

A
B
C

Cats eat fish.

deduction

Cat D will eat fish.

Cats eat fish.

D

□ **seduce** [sidjú:s] 動 ～を誘惑する

源 *se* (離れた場所へ) + *duce*
→「誘惑する」

□ **seductive** [sidʌ́ktiv] 形 魅惑的な

□ **abduct** [æbdʌ́kt] 動 ～を誘拐する (=kidnap)

源 *ab* (離して) + *duct* = 「引き離す」

例 alien abduction
「宇宙人による誘拐」

□ **abductee** [æbdʌktí:]

名 (宇宙人に) 誘拐された人

源 *abduct* + *ee* (された)

word family

□ **duct** [dʌ́kt] 名 通気管, (エアコンなどの) ダクト

源 「導くもの」が原義。

□ **introduce** [intrədjú:s] 動 ①～を紹介する ②～を導入〔採用〕する

源 *intro* (中へ) + *duce*

□ **produce** [prəd(j)ú:s] 動 ～を生産する, 〈作品〉を制作する

源 *pro* (前に) + *duce*   *pro*→p.232

□ **conductor** [kəndʌ́ktə] 名 ①(音楽)指揮者 ②車掌 ③導体 (電気を通す物質)

源 *con* (共に) + *ductor* (導くもの)   *con*→p.141

□ **semiconductor** [sèmikəndʌ́ktə] 名 半導体

源 *semi* (半分) + *conductor* (上記 ③)

equi, equa

等しい

equal「等しい」, equality「平等」の語源がこれ。equal pay for equal workは「同一労働に対する同一賃金」。

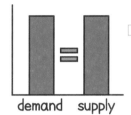

demand　supply

□ **adequate**[ǽdikwət] 形 (ちょうど)十分な

源 *ad*(対して)＋*equate*(等しい)

★需要や目的に対しなんとか足りるという意味。「たっぷりの」という意味ではない。small but adequate「小さいが十分な」という表現が多いことからもこのニュアンスがわかる。

□ **equator**[ikwéitər] 名 赤道

源 *equate*(等しくする)＋*or*(もの)
＝「(地球を)二等分するもの」

★国名Ecuador「エクアドル」はスペイン語でequatorのこと。

□ **equatorial**[ìːkwətɔ́əriəl] 形 赤道の

□ **equilibrium**[ìːkwəlíbriəm] 名 つり合い, 平衡, (需給などの)均衡

源 *equi*＋*libra*(てんびん)＝「てんびんがつり合った状態」

★Libraは「てんびん座」。なおlevel「水準, 水平な」の語源もlibra。

□**equinox**[íːkwənὰks] 名 春分, 秋分

源 *equi*＋*nox*(夜)＝「(昼と)等しい長さの夜」

★nocturn「ノクターン, 夜想曲」も*nox*が語源。

word family

□**equivalent**[ɪkwívlənt] 名 同等のもの, 相当するもの 形 同等の

源 *equi*＋*valent*(＝value 価値の)

□**equation**[ɪkwéɪʒən] 名 方程式(両辺が等しい式)

源 *equate*(等しくする)の名詞形。

□**equitable**[ékwətəbl] 形 公平な(＝fair), 平等な扱いの

□**equity**[ékwəti] 名 ①公平, 公正 ②純資産額

□**equidistant**[ìːkwədístənt] 形 等距離の

源 *equi*＋*distant*(離れた)

□**equivocal**[ɪkwívəkl] 形 どちらにもとれる(＝ambiguous), うやむやな

源 *equi*＋*vocal*(声の)＝「同じ声の」→「区別しにくい」

□**equalize**[íːkwəlàɪz] 動 〜を同じ(均等)にする, 〈音など〉を補正する

□**egalitarian**[ɪɡælɪtéəriən] 形 平等主義の

源 egalite (フランス語のequality)から

ex, extra

外へ，広がって，なくなって

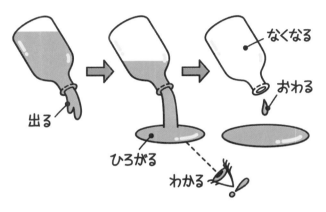

なくなる

おわる

出る

ひろがる

わかる

ビンから液体が外に**出る**。液体は**広がる**。中身が何かはっきりする。やがて中身はなくなる。なくなれば終わりだ。このイメージのようにex-の意味は「外に出て」→「広がって（拡大）」・「はっきりして（判明）」・「なくなって（消滅）」→「完全に終わって（完了）」と発展していく。これは副詞outの意味の発展とそっくりだ。だからex-を含む単語には近い意味のoutを含む熟語があることが多い。

★exは次の文字によりec-, es-, ef-, e-などに変わる。extraも同じような意味。反対はin-。
→p.193

●外に出て

☐ **ex**pense[ıkspéns] 名 費用・経費
源 ex（出す）+ pense（量る）
→「金を量って出す」

☐ **ex**pensive[ıkspénsıv] 形 高価な

income

expense

語源編

□ **expenditure**[ɪkspéndɪtʃə] 名 支出
　　□ **expend**[ɪkspénd] 動〈力・時間など〉を費やす　★ expenseの動詞形。
□ **spend**[spénd] 動〈金・時間など〉を費やす
　　★expendの[ek]の音がとれたもの。

□ **exit**[éɡzit] 名 出口 動 出て行く(≒go out)
□ **exotic**[iɡzátɪk] 形 (国の外の→)外国の,外来の,エキゾチックな
　□ **emigrate**[éməɡrèit] 動 (国外へ)移住する ⇔immigrate 国内へ移住する
□ **exile**[éɡzail] 名 国外追放(者),亡命した人
□ **exodus**[éksədəs] 名 (国,地域などの外への)大移動
□ **excite**[ɪksáɪt] 動 ～を興奮させる
　源 ex+cite (呼ぶ,起こす)=「感情を呼び出す」

●優れて,並はずれて

□ **excel**[iksél] 動 (～より)優れている
　源 ex (外に)+cel (そびえる)
　★「優秀,目立つ,並はずれる」を表す語にはexがつくものが
　　多い。stand out「目立つ」,outstanding「優秀な,目立つ」
　　と比べよう。

□ **extraordinary**[ɪkstrɔ́ːdn̩èəri] 形 並はずれた
　源 extra (=ex)+ordinary (普通の)
□ **exceptional**[ɪksépʃnl] 形 特に優れた,例外的な　　　　　*cept*→p.127
□ **exquisite**[ɪkskwízɪt] 形 極めて優れた
□ **enormous**[inɔ́ːməs] 形 巨大な
　源 ex+norm (普通)=「並はずれた」
□ **extreme**[ɪkstríːm] 形 極端な,極限の
　源「一番外の」が原義。

164

□ **eccentric**[ɪkséntrɪk] 形 風変わりな, 普通でない

　源 *ec* (=ex) + *centr* (中心)　　　　　　　　　　　　　*centr*→p.129

□ **extravagant**[ɪkstrǽvəgn̩t] 形 過度な, 金遣いが荒い

　□ **exorbitant**[ɪgzɔ́ːrbətn̩t] 形 (価格など) とてつもない

　　源 *ex* + *orbita* (道, 軌道) = 「道をはずれた」

●広げて→はっきりして

□ **explain**[ɪkspléɪn] 動 ～を説明する

　源 *ex* (広げて) + *plain* (平ら)

　★日本語の「平たく言う」と同じイメージ。

word family

□ **evident**[évɪdənt] 形 明白な　　　　　　　　　　　　　*vid*→p.282

□ **explicit**[ɪksplísɪt] 形 明白な, 露骨な　　　　　　　　*pli*→p.226

　□ **explicate**[éksplɪkèɪt] 動 〈概念, 意味など〉を詳しく説明する

　□ **inexplicable**[ìnéksplɪkəbl] 形 説明不能の

　　源 *in* (否定) + *explicate* + *able* (可能な)

　□ **expound**[ɪkspáʊnd] 動 〈法, 教義など〉を詳しく説明する

□ **expand**[ɪkspǽnd] 動 ～を拡張する, 展開する, 詳細に述べる

●なくなって，終わって

☐ **exhausted**[ɪgzɔ́:stəd] 形 疲れ果てた（≒tired out, worn out）

源 *ex*（完全に）＋*hausted*（使われた）＝「使い果たした」

word family

☐ **extinguish**[ɪkstíŋgwɪʃ] 動〈火〉を消す（≒put out），～を消滅させる

☐ **extinct**[ɪkstíŋkt] 形 絶滅した　cf. die out「絶滅する」

源 元はextinguishの過去分詞「消された」。

☐ **exterminate**[ɪkstə́:mənèɪt] 動 ～を絶滅させる（≒wipe out）

源 *ex*＋*term*（境界）＝「境界の外に追い出す」　cf. eliminate→p.199, *term*→p.98

☐ **execute**[éksəkjù:t] 動 ①～を遂行する（≒carry out）　②～を処刑する

源 *ex*＋*secute*（続ける）＝「最後までやり遂げる」　*secut*→p. 250

fac(t), fect, fy

作る，する，作用する (= make)

これらはみなラテン語facere「作る，作用する，する」が変化したもの。fact「事実」はその過去分詞で「(すでに)なされたこと」が原義。他に*fit*, *fici*, *feat*なども同じ語源。

□ **affect** [əfékt] 動 〜に作用する，影響する

　源 *af* (=*ad* 対して) + *fect* (作用する)

　★悪い影響を表すことが多い。

□ **effect** [ɪfékt] 名 結果，効果，影響

　源 *ef* (=*ex* 外) + *fect* (作用する) →「外に出た作用」

　★affectは動詞, effectは名詞。

◇ **greenhouse effect** 「温室効果」

□ **efficiency** [ɪfíʃənsi] 名 効率　形 efficient 効率的な

　源 *ef* (=*ex* 外) + *fici* (作用する)

　★effectと同源。

□ **perfect**[pə́:rfikt] 形 完璧な, 欠けていない

　　源 *per* (完全に) + *fect* (作られた)

□ **defect**[dí:fekt] 名 欠陥, 欠点, 障害

　　源 *de* (否定) + *fect* = 「不完全, 欠陥」

□ **defective**[dɪféktɪv] 形 欠陥がある, 不完全な

□ **deficiency**[dɪfíʃənsi] 名 (養分などの)欠乏, 欠陥

　　源 *de* (否定) + *fici*　★ defect と同じ成り立ち。

◇ **AIDS** (=Acquired Immune Deficiency Syndrome)「後天性免疫不全症候群」

□ **deficit**[défəsət] 名 ①赤字, 負債　②欠陥

　　源 *de* (否定) + *ficit*　★ defect と同じ成り立ち。

◇ **ADHD** (=Attention-Deficit Hyperactivity Disorder)「注意欠陥多動性障害」

---

word family

□ **infect**[ɪnfékt] 動 ～に感染する

◇ **be infected with A**「Aに感染している」

　　源 *in* (体内に) + *fect* (作用する)

□ **artifact**[á:tifæ̀kt] 名 人工物, (発掘された)人工遺物

　　源 *arti* (技術) + *fact* (作られた物)

□ **factor**[fǽktə] 名 要因　源 *fact* (作る, 行う) + *or* (もの)

□ **factory**[fǽktəri] 名 工場　源 *fact* (作る) + *ory* (場所)

□ **manufacture**[mæ̀njəfǽktʃə] 動 ～を製造する 名 製造

　　源 *manu* (手) + *fact* (作る) = 「手で作る」　　　*manu*→p.205

□ **facility**[fəsíləti] 名 ①容易さ, 能力　②(facilities)設備

　　源 *facil* (する→できる, 容易な)

□ **faculty**[fǽklti] 名①才能, (心身の)機能 ②学部(の全教員)　★ facilityと同源。

□ **feat**[fíːt] 名 偉業, はなれ技

　　源「(うまく)行われたこと」　★ factと同源。

□ **defeat**[dɪfíːt] 動 〜を打ち負かす 名 敗北

　　源 *de* (分離, 否定)＋*feat*＝「featを妨げる」

□ **feature**[fíːtʃɚ] 名①特徴, 顔立ち　②特集記事 動 〜を呼びものにする

　　源 *feat* (作られた)→「作り, 特徴」

□ **feasible**[fíːzəbl] 形 実行可能な

　　源 *feas* (する)＋*ible* (＝able)＝「やれる」

□ **fashion**[fǽʃən] 名 流行, 型, やり方 動 〜を作る

　　源「作ること, やり方」

●〜 – (i) *fy*＝make 〜 「〜にする」という動詞がたくさんある。

□ **amplify**[ǽmplɪfàɪ] 動 〜を拡大する, 増幅する 源 *ample* (広い, たっぷりの)

□ **certify**[sɚ́ːtəfàɪ] 動 〜を証明する 源 *cert* (＝certain 確かな)

□ **clarify**[klǽrəfàɪ] 動 〜を明確にする 源 *clar* (＝clear)

□ **dignify**[dígnəfàɪ] 動 〜に尊厳をあたえる 源 *dign* (価値ある)

□ **diversify**[daɪvɚ́ːsəfàɪ] 動 〜を多様化させる 源 *diverse* (多様な)　→p.280

□ **glorify**[glɔ́ːrəfàɪ] 動 〜を称賛する, 美化する 源 *glory* (栄光)　→p.183

□ **humidify**[hjuːmídəfàɪ] 動 〜に加湿する 源 *humid* (湿った)

□ **identify**[aɪdéntəfàɪ] 動 〜を同一とみなす, 正体を確認する 源 *identi* (同じ)

□ **intensify**[inténsəfàɪ] 動 〜を強める, 激しくする 源 *intense* (激しい)

□ **justify**[dʒʌ́stəfàɪ] 動 〜を正当化する 源 *just* (正しい)

□ **magnify**[mǽgnəfàɪ] 動 〜を拡大する 源 *magni* (＝*magna* 大きな)　→p.204

□ **pacify**[pǽsəfàɪ] 動 〜を静める, 制圧する 源 *pac* (＝peace)

□ **purify**[pjúərəfàɪ] 動 〜を浄化する 源 *pure* (純粋な)

□ **satisfy**[sǽtisfàɪ] 動 〜を満足させる 源 *satis* (十分な)

□ **simplify**[símpləfàɪ] 動 〜を単純化する 源 *simple* (単純な)

□ **terrify**[térəfàɪ] 動 〜を怖がらせる 源 *terror* (恐怖)

□ **unify**[júːnəfàɪ] 動 〜を統一する 源 *uni* (ひとつ)

□ **verify**[vérəfaɪ] 動 〜を証明する, 確かめる 源 *veri* (真の)

fl

すばやい動き

*fl*がつく語には「パシッ,ドスン,バタバタ」のようなすばやいアクション
を表す語が多い。語源と言うより擬音のようなものだ。

☐ **flutter**[flΛ́tə] 動 羽ばたく,はためく,(葉など)ひらひらする

☐ **flit**[flít] 動 すいすい飛び移る

☐ **flick**[flík] 動 (指で)はじく

　★「フリック入力」はこの語から。

☐ **flap**[flǽp] 動 バタバタ羽ばたく,はためく

☐ **flip**[flíp] 動 ひっくり返る,〜を裏返す,〈ページ〉をめくる

☐ **flop**[fláp] 動 ドスンと倒れる[座る],バタバタ暴れる

☐ **fling**[flíŋ] 動 〜を投げつける,急に動かす

☐ **flash**[flǽʃ] 動 ①ピカッと光る ②〜をサッと見せる ③頭にパッと浮かぶ

　名 閃光 ★ *-sh*で終わる語にはdash, smash, crash, splashのように瞬間的で激しい動きを表す

　ものが多い。 crash→p. 43

☐ **flog**[flág] 動 〜をむちでビシビシ打つ

flu, flo

流れる，浮かぶ

flow「流れる」, float「浮かぶ」もこれが語源。「流れる」から「すばやく動く」, flee「逃げる」, fly「飛ぶ」などにも広がるファミリー。

□ **affluent**[ǽfluənt] 形 裕福な,豊富な
源 *af*(=*ad*(縁)まで)+*flu*(流れる)
★高価なワインを惜しげもなくなみなみと注いでいるイメージ。

□ **affluence**[ǽfluəns] 名 裕福,豊富

□ **fluent**[flúːənt] 形 流暢な
★「流れるような」が原義。

□ **fluency**[flúːənsi] 名 流暢さ

influence

- ☐ **influence**[ínfluəns] 名影響　動〜に影響する
  - 源 *in*（中に）+*flu*（流れる）=「流れ込む」
    - ★外のものが中に流れ込んで影響をあたえるイメージ。
- ☐ **influencer** [ínfluənsə] 名 影響力のある人。特にSNSなどからの発信でマーケティングに強い影響力を持つ人。
- ☐ **influenza**[ìnfluénzə] 名 インフルエンザ(=the flu)
  - 源 influenceのイタリア語形。星の**影響**が原因と信じられたのが起源。

word family

- ☐ **confluence**[kánfluəns] 名合流
  - 源 *con*（いっしょに）+*flu*
- ☐ **flux**[flʌ́ks] 名流れ,絶え間ない変化
- ☐ **influx**[ínflʌ̀ks] 名流入
  - 源 *in*（中）+*flu*
- ☐ **fluid**[flúːɪd] 名流体(液体と気体)
- ☐ **superfluous**[supə́ːfluəs] 形過剰な,あり余る
  - 源 *super*（越えて）+*flu*
- ☐ **flood**[flʌ́d] 名洪水
- ☐ **fleet**[flíːt] 名艦隊(「浮かぶもの→船」が原義)　形すばやい
- ☐ **fleeting**[flíːtɪŋ] 形つかの間の,すばやい

form

> ## 形, 形作る

form「形,形作る」から生まれた語は多い。formal「フォーマル」は「形式ばった」,uniform「ユニフォーム」は「形がひとつ(*uni*)に決まった」の意味。

☐ **conform** [kənfɔ́ɚm] 動〈習慣・規則などに〉従う,合わせる

  例 conform to the rules

  源 *con*(=together)+*form*=「(他と)同じ形にする」

☐ **conformity** [kənfɔ́ɚməti] 名 適合,服従

□ **form**[fɔ́ərm] 名形 動 ～を形作る

□ **inform**[ɪnfɔ́ərm] 動 ～に知らせる

　源 *in* (中に)＋*form* (形作る)

　★人に情報をあたえると,人の頭の中に**イメージが形作られる**。

word family

□ **formality**[fɔərmǽləti] 名 形式ばること,堅苦しさ

□ **reform**[rɪfɔ́ərm] 動 ～を更新する　★家などの改装の意味では使わない。

　源 *re* (再び)＋*form*　　　　　　　　　　　　　　*re*→p.243

□ **transform**[trænsfɔ́ərm] 動 ～を変形する

　源 *trans* (移って)＋*form*　　　　　　　　　　　*trans*→p.270

□ **deformity**[difɔ́ːmiti] 名 奇形 形 deformed 奇形の

　源 *de* (否定,悪)＋*form*

□ **malformation**[mæ̀lfɔərméɪʃən] 名 奇形

　源 *mal* (悪)＋*form*　　　　　　　　　　　　　　*mal*→p.121

□ **format**[fɔ́ərmæt] 名 ①構成,計画　②本の判型　③(記憶装置の)フォーマット

　源 formの変形。

□ **formula**[fɔ́ərmjələ] 名 ①数式,化学式　②製法,秘訣　③決まり文句

　源 formの変形。「決まった型」の意味。

fort, force

強い, 力

ラテン語fortis「強い」から。楽譜についている f「フォルテ(forte)」やスターウォーズに出てくるforce「力」の語源。

□ **effort**[éfət] 名 努力(＋to V), 奮闘
    源 *ef* (=*ex* 外へ)＋*fort* (力)＝「力を出すこと」

□ **enforce**[enfɔ́ə] 動〈法〉を施行する
    源 *en* (あたえる)＋*force*＝「(法に)力をあたえる」

□ **reinforce**[rìːɪnfɔ́əs] 動 ～を強化する
    源 *re* (くり返し)＋*inforce* (=enforce)

□ **forceful**[fɔ́əsfl] 形 強引な

□ **fort**[fɔ́ət] 名 要塞
    源「守りが強化された場所」の意味。

□ **fortress**[fɔ́ətrəs] 名 (大)要塞

□ **fortify**[fɔ́ətəfàɪ] 動 ① ～を要塞化する ②〈人, 感情を〉強くする

□ **fortitude**[fɔ́ətət(j)ùːd] 名 不屈の精神力, 勇気
    源 *fort*＋*itude* (性質)

2

語源編

frag, frac

割れる，分割する

ラテン語fragilis「割れやすい」から。「割る」→「分割する」→「一部分」と発展する。

- [ ] **fragile**[frǽdʒəl] 形 壊れやすい
- [ ] **fragment**[frǽgmənt] 名 破片
- [ ] **frail**[fréɪl] 形 (体が)ひ弱な, はかない
  - 源 fragileの古フランス語形。
- [ ] **fraction**[frǽkʃən] 名 ①一部分 ②分数
  - [ ] **fractal**[frǽktl] 名 形 フラクタル図形(の)　★ シェルピンスキーのギャスケットなど。
    - 源 「いくら**分割**しても同じ形」の意味。
- [ ] **fracture**[frǽktʃɚ] 名 動 骨折(する)

fuse

融かす, 融合する, 注ぐ

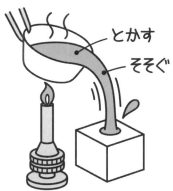

とかす
そそぐ

*fuse*の本来の意味は「(熱で)融かす」。2種類の金属を融かすと合金ができる。そこから「融合する」の意味になった。また融かして液体にすることから「注ぐ」の意味も生まれた。

2 語源編

□ **infuse**[ɪnfjúːz] 動〈考え, 力, 薬〉を注入する
　　源 *in* (中に)＋*fuse* (注ぐ)

infuse

□ **confuse**[kənfjúːz]
動〈人〉を混乱させる, ~を混同する
◇**confuse A with B**
　「AとBを混同する」
源 *con* (いっしょに)
　＋*fuse* (注ぐ)

con→p.141

confuse

□**refuse**[rɪfjúːz] 動〈招待・要求など〉を断る

源 *re*（逆に）＋*fuse*（注ぐ）＝「注ぎ返す」　　　　　*re*→p.243　reject→p.196

□**refusal**[rɪfjúːzl] 名 拒絶,拒否,辞退

refuse

□**transfusion**[trænsfjúːʒən] 名 輸血(=blood transfusion)

源 *trans*（移して）＋*fusion*（注ぐこと）

trans→p.270

□**fusion**[fjúːʒən]

名 融合,核融合,合体,フュージョン音楽

（ロック・ジャズの融合）

★ fuse（融合する）の名詞形。

⇔fission 名 分裂

fusion

transfusion

□**fuse**[fjúːz] 動 ～を融かす,融合させる,融ける

◇**nuclear fusion**「核融合」

word family

□**diffuse**[dɪfjúːz] 動 ～を拡散する,普及させる

源 *di*（離して,ばらばらに）＋*fuse*（注ぐ）＝「まき散らす」

□**profuse**[prəfjúːs] 形 あふれるような,気前がいい

源 *pro*（前に）＋*fuse*（流れる）＝「あふれる」

gen

生み出す, 生まれる, 源, 一族

ラテン語*gen*の原義は「生み出す,生まれる」。そこから「同じ生まれのもの＝一族」の意味となり,さらに「高貴な生まれの」と発展してgentleやgenerousの意味につながる。また「一族全体の」の意味から「一般,全般」の意味にもなる。接尾語としての*-gen*は「～を生み出すもの,源,原,素」として重要だ。なお,*gen*と同じような意味を持つ古英語の語根*kin*(→p.197)やラテン語の*nat*(→p.215)も起源は同じ。

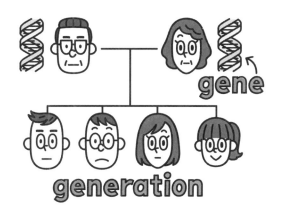

2

語源編

□ **gene**[dʒíːn] 名 遺伝子
　　源 「(生物を)生み出す素」の意味。
□ **genetic**[dʒənétɪk] 形 遺伝子の
□ **genotype**[dʒénətàɪp] 名 遺伝子-型　　cf. phenotype　表現型
□ **generation**[dʒènəréɪʃən]
　　名 ①世代　②生殖,〈電気などの〉発生
　　源 ①は「(いっしょに)生み出されたもの」。

- ☐ **genealogy**[dʒìːniǽlədʒi] 名 家系
- ☐ **progeny**[prádʒəni] 名 子孫
- ☐ **pregnant**[prégnənt] 形 妊娠している
    - 源 *pre*(以前)+*gn*(=*gen* 生まれる)=「誕生の前」
- ☐ **genius**[dʒíːnjəs] 名 天才
    - 源「生まれつきの才能」 ★ 生まれたときからついている守護霊の意味もあった。

- ☐ **genome**[dʒíːnoʊm] 名 ゲノム(ある生物の遺伝子全体)
- ☐ **gender**[dʒéndɚ] 名 性別
- ☐ **engender**[endʒéndɚ] 動〈感情,状況など〉を生み出す
- ☐ **genital**[dʒénətl] 形 生殖の
- ☐ **eugenics**[juːdʒéniks] 名 優生学
    - 源 *eu*(よい)+*gen*

● *gen* =「全体の，一般の」
- ☐ **general**[dʒénərəl] 形 一般の,全体の ⇔specific
- ☐ **generic**[dʒənérɪk] 形 一般の,(薬など)商標登録がない
- ☐ **genocide**[dʒénəsàɪd] 名〈民族の〉大量殺人　　　　　*cide*(殺す)→p.133

● *gen* =「生まれ［家柄］がよい→優しい」
- ☐ **gentle**[dʒéntl] 形 優しい,親切な
- ☐ **genteel**[dʒentíːl] 形 上流ぶった
- ☐ **generous**[dʒénərəs] 形 ①気前がよい　②豊富な
- ☐ **genial**[dʒíːnjəl] 形 愛想がいい,親切な

● + *gen* 「〜の素となる物質」

☐ **hydrogen** [háɪdrədʒən] 名 水素

　　源 *hydro* (水) + *gen*

☐ **oxygen** [áksədʒən] 名 酸素

　　源 *oxy* (酸) + *gen*

☐ **collagen** [kálədʒən] 名 コラーゲン

　　源 *colla* (にかわ, 糊) + *gen*　　cf. collage「コラージュ (糊づけ→貼り合わせ)」

☐ **antigen** [ǽntɪdʒən] 名 抗原

　　源 *anti* (=antibody 抗体) + *gen* =「抗体を生む物質」

☐ **allergen** [ǽlədʒən] 名 アレルギー源　　★「アレル源」だと思っている人が多い

　　源 *aller* (=allergy アレルギー) + *gen*

☐ **halogen** [hǽlədʒən] 名 ハロゲン (塩素, フッ素など)

　　源 *halo* (塩) + *gen*

☐ **pathogen** [pǽθədʒən] 名 病原体

　　源 *patho* (病気) + *gen*　　　　　　　　　　　　　*path*→p.219

☐ **carcinogen** [kɑɚsínədʒən] 名 発がん物質

　　源 *carcino* (=cancer がん) + *gen*

☐ **hallucinogen** [həlúːsṇədʒən] 名 幻覚物質 (ドラッグ)

　　源 *hallucino* (幻, 夢) + *gen*

☐ **fibrinogen** [faɪbrínədʒən] 名 フィブリノーゲン, (血中の)繊維素原

　　源 *fibri* (=fiber 繊維) + *gen*

2

語
源
編

geo

地球, 土地

ギリシャ語のge「地球,土地,陸」から。ラテン語の*terra*（→p.266）に相当する。

□ **geocentric**[dʒìouséntrik] 形 地球中心の,天動説の

　源 *geo*（地球）+ *centric*（中心の）　　　　　　　　*centr*→p.129

　⇔heliocentric 太陽中心の（helio 太陽の）

◇ **geocentric theory**「天動説」

□ **geometry**[dʒiámətri] 名 幾何学

　源 *geo* + *metry*（計測）

□ **geology**[dʒiálədʒi] 名 地学

　源 *geo* + *ology*（学）

□ **geography**[dʒiágrəfi] 名 地理

　源 *geo* + *graphy*（記録）

□ **geothermal**[dʒìːəuθɔ́ːml]

　形 地熱の

　源 *geo* + *thermal*（熱の）

You're egocentric!

ology→p.201

geocentric

コラム 　**超大陸PangaeaとGaia理論**

ドイツの地球物理学者Alfred Wegenerはすべての大陸は古生代にはひとつだったと主張し，Pangaea「パンゲア」と名づけた。これはpan（すべての）+gaea（=ge陸）でできた語。一方，イギリスの科学者James Lovelockは「地球はひとつの生命体のようなシステムだ」と主張するガイア（Gaia）理論を唱えた。Gaiaはgaeaと同じくgeの変形でもとは大地の女神の名だ。

gl

*gl*で始まる語には「光,輝き」にかかわるものが多い。日本語の「ギラリ」「キラキラ」のような擬音的イメージだ。glassもgoldも「輝くもの」の意味。また目の光り方や見る行為に関係する語も多い。

- □ **glitter**[glítə] 動 (ダイヤのように)キラキラ光る
  名 きらめき
- □ **glimmer**[glímə] 動 ぼんやり[かすかに]光る
  名 かすかな光
- □ **glare**[gléə] 動 ①ギラギラ光る　②ギロリとにらむ
  名 まぶしい光
- □ **glisten**[glísṇ] 動 ぬれてテラテラ光る
- □ **glow**[glóu] 動 (炭火などが)ボーっと鈍く光る
- □ **gleam**[glí:m] 動 (目, 歯, 水などが反射で)キラリと光る
- □ **glint**[glínt] 動 (ナイフ, 目など)キラリと光る 名 きらめき
- □ **gloss**[glás] 名 (紙, 髪などの)つや
- □ **gilded**[gíldɪd] 形 金メッキした
  ★goldの変形。
- □ **glance**[glǽns|glá:ns] 動 名 ちらっと見る(こと) (+at)
- □ **glimpse**[glímps] 動 名 ちらっと見える (こと)
- □ **glad**[glǽd] 形 うれしい
  源 「心が輝く」が原義。
- □ **glee**[glí:] 名 喜び(自分の幸運や人の不幸に対する)
- □ **glory**[glɔ́əri] 名 栄光

2

語源編

gr

つかむ

「つかむ」に関係する語には *gr* で始まるものが多い。擬態・擬音語的なものと考えよう。

grope

grasp

☐ **grope**[gróup] 動 ～を手探りでさがす, まさぐる

☐ **grasp**[grǽsp] 動 ①～をつかむ ②理解する 名 ①把握 ②理解

☐ **grab**[grǽb] 動 ～をつかむ(突然, 強く)

☐ **grip**[gríp] 動 ～をしっかりつかむ 名 ①握り方 ②支配

☐ **grapple**[grǽpl] 動 ①つかみ合う ②〈問題に〉取り組む(＋with)

gr

ぶつぶつ言う，うなる，不平を言う

"GRRR"は英語のマンガで犬などのうなり声「ガルルル」を表す擬音として使われる。「不平不満，不きげん」に関係する語にもgrで始まるものが多い。低い声でブツブツ文句を言っているイメージだ。grumbleには「雷がゴロゴロ鳴る」の意味もある。

- □ **grumble**[grʌ́mbl] 動 ぶつぶつ不平を言う（＋about）
- □ **grumpy**[grʌ́mpi] 形 気むずかしい，すぐ怒る
- □ **grouch**[gráʊtʃ] 名 文句たれの人，不平

    ★Sesame StreetのキャラOscarは自分をgrouchだと言っている。

- □ **gripe**[gráɪp] 名 動 不平（を言う）（＋about）
- □ **growl**[gráʊl] 動 うなる（怒って），低い声で言う
- □ **groan**[gróʊn] 動 うなる（痛み，悲しみなどで），不平を言う
- □ **grudge**[grʌ́dʒ] 名 うらみ，ねたみ 動 〜を出し惜しむ
- □ **grim**[grím] 形 ①（表情）けわしい，怖い ②（見通しなど）暗い

grat, grac

喜ぶ

*grat*は「喜ぶ」さらに「好意」の意味を持つ。*grace*も同じ起源。

grateful

congratulate

□ **congratulate**[kəngrǽtʃəlèɪt]
動 〈人〉を祝福する

源 *con* (ともに)+*grat* (喜ぶ)

◇**Congratulations!**「おめでとう」

★複数形であることに注意。意味を強めるためだと言われる。(Many) Thanks「ありがとう」／ Best wishes.「お幸せに」／ My apologies.「すみません」／ My condolences.「お悔やみ申します」なども複数形。

□ **grateful**[gréɪtfl]
形 感謝している(+to人，+for理由)

□ **gratitude**[grǽtət(j)ùːd] 名 感謝

□ **gratify**[grǽtəfàɪ] 動 ～を満足させる，満たす   *fy*→p.167

◇**persona non grata**「受け入れ国に拒否された外交官」

源 persona (=person) non (否定) grata (喜ばれる)＝「好まれない人」(ラテン語)

□ **gratuitous**[grət(j)úːətəs] 形 無料の

源 「人を喜ばす」が原義。

□ **grace**[gréɪs] 名 ①優雅さ　②善意

□ **gracious**[gréɪʃəs] 形 優しい，慈悲深い

gress, grad

進む, 歩む

gradi「進む,歩む」というラテン語が起源。「進む」から名詞化して「進度,歩み」にもなる。

☐ **ag**g**ressive**[əgrésɪv] 形①攻撃的な ②積極的な

源 *ag* (=*ad* 向かって)+*gress*

★相手に向かって行くイメージ。

☐ **agg**r**ession**[əgréʃən] 名 攻撃性,攻撃

☐ **pro**g**ress** 名 [prágres] 動 [prəgrés] 進歩(する),前進(する)

源 *pro* (前に)+*gress*

pro→p.232

□ **degree**[dɪgríː] 名①程度,(角度,温度の)度 ②学位

  源 進度→程度,学位

□ **graduate**[grǽdʒuèɪt] 動 卒業する

  源 進級してdegreeを得ること。

□ **grade**[gréɪd] 名①段階,等級 ②(小～高通しの)学年

word family

□ **gradation**[greɪdéɪʃən] 名 (色などの)段階的変化,グラデーション

□ **retrograde**[rétrəgrèɪd] 動 後退する,逆行する

  源 *retro* (=*re*=back)+*grade*

□ **transgression**[trænsgréʃən] 名 違反,(法・道徳的)犯罪

  源 *trans* (越えて)+*gress*=「正しい範囲を超えて進むこと」   *trans*→p.270

□ **digression**[daigréʃən] 名 (トピックからの)脱線,余談

  源 *di* (=*dis* 離れて)+*gress*   *di*→p.155

188

hap

偶然, 運命

古代ノルド語hap「幸運」に由来し「偶然, 運命」の意味に広がった。happyは「幸運な」→「幸せな」と変化。perhapsは*per*（〜によって）+*haps*（偶然）, つまりby chanceの意味から「ひょっとすると」の意味になった。happenは「（偶然）起きる」の意味。

□**hap**hazard[hæphǽzəd] 形 でたらめの, 気まぐれな（+方法など）

源 hazardも「偶然」の意味。

□**mis**hap[míshæp] 名（ささいな）不運, 事故

源 *mis*（悪い）+*hap*

□**hap**less[hǽpləs] 形 不運な（+犠牲者など）

源 *hap*（幸運）+*less*（ない）

2

語源編

189

heal, hol, whole

健全な, 完全な

healthはwhole「全体の」と同じ語源で,「完全であること」から「健康」の意味になった。holy「神聖な」も同じ語源で,「(神のように)完全な」が原義。

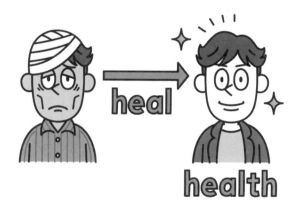

□ **heal**[híːl] 動〈傷などが〉いえる, 治癒する

　源「完全な状態になる」が原義。

□ **health**[hélθ] 名 健康(＝完全な状態)

□ **wholesome**[hóʊlsm] 形 ①健康によい(=healthy)　②健全な

□ **holistic**[hoʊlístɪk] 形 全体論的な

□ **holism**[hóʊlìzm̩] 名 全体論　⇔reductionism要素還元主義

□ **hologram**[háləgræm] 名 ホログラム(対象を完全に再現する立体映像)

　源 *holo*＋*gram*（描いたもの）

□ **holocaust**[háləkɔ̀ːst] 名 ホロコースト,〈戦争での〉皆殺し,〈火災など〉大惨事

　源 *holo*＋*caust*（焼く）＝「丸焼き」

inter

間の, 相互の, 内部の

inter はbetweenやamongを意味する接頭語。そこから「お互いに」の意味や、間に割り込んで「じゃまをする」、「中断する」などのニュアンスが出てくる。the Internetは本来「多くのnetworkの間をつなぐもの」という意味。

●〜の間の, 相互の
- □ inter**stellar**[ìntəʳstélə] 形 星間の
  - 源 *inter* + *stellar*（星の）
- □ inter**continental**[ìntəʳkàntənéntl] 形 大陸間の
  - ◇ inter**continental ballistic missle**「大陸間弾道弾(ICBM)」
- □ **Inter**net[íntəʳnèt] 名 インターネット（「networkの間のnetwork」の意味）
- □ inter**action**[ìntəʳrǽkʃən] 名 ①〈人の間の〉交流, コミュニケーション ②相互作用
  - 源 *inter* + *action*（行為, 作用）
- □ inter**breed**[ìntəʳbríd] 動 〜を交配させる, 雑種を作る
  - 源 *inter* + *breed*（繁殖させる）
- □ inter**cede**[ìntəʳsíːd] 動 仲裁する（+with）
  - 源 *inter* + *cede*（=go）=「間に入る」   *cede*→p.125
- □ inter**collegiate**[ìntəʳkəlíːdʒət] 形 大学間〔対抗〕の
- □ inter**com**[íntəʳkàm] 名 インターフォン
  - 源 *inter* + *communication*の略。　★interphoneはまれ。

☐ inter**course**[íntəkɔ̀əs] 名 ①性交 ②交流

源 inter＋course (走る)＝「互いに行き来する」

☐ inter**face**[íntəfèɪs] 名 インターフェース(異種の物の間をつなぐシステムや装置)

源 inter＋face (面する)＝「ふたつのシステムが接する場所」

☐ inter**im**[íntərəm] 形 間に合わせの,一時的な

☐ inter**lude**[íntəlùːd] 名 ①幕間,合い間の出来事 ②間奏曲

源 inter＋lude (＝play, 劇,演奏)

☐ inter**mittent**[ìntəmítənt] 形 断続的な

☐ inter**mission**[ìntəmíʃən] 名 (活動の間の)休憩,中断

☐ inter**val**[íntəvl] 名 間隔

源 inter＋val (隔壁)＝「壁と壁の間の距離」

☐ inter**racial**[ìntəréɪʃəl] 形 異人種間の

源 inter＋race (人種)

● 間に入る→妨げる, 介入する

☐ inter**fere**[ìntəfíə] 動 干渉する,妨げる

源 inter＋fer (殴る)

☐ inter**feron**[ìntəfíːrɑn] 名 インターフェロン(ウイルスの増殖を妨げる物質)

源 「interfereする物質」の意味。

☐ inter**rupt**[ìntərápt] 動 ～を妨げる,中断させる

源 inter＋rupt (破る,壊す)

☐ inter**cept**[ìntəsépt] 動 ①～を傍受する,横取りする

②〈敵機などを途中で〉迎撃する

源 inter＋cept (取る)

cept→p.127

☐ inter**vention**[ìntəvénʃən] 名 介入,仲裁

源 inter＋vent (来る)＝「間に入って来る」

vent→p. 278

in, en

中に, 入れる, 〜にする

ラテン語の前置詞in「〜の中に」から。フランス語でenに変化。「〜の中に」から「入れる」,さらに「あたえる」に発展した。名詞の前につくと「〜を注入する」→「〜をあたえる,〜の状態にする」の意味の動詞を作る。形容詞につくと「〜の状態に入れる」→「〜の状態にする」の意味の動詞を作る。ラテン語のinは英語のonにあたる意味も持っていたので,「上に」の意味の*in*も多い(**例** impose→p.229)。*in* はm, b, pの前で*im*となる。

● *in* 「中へ」

inspire

- [ ] **inspire**[ɪnspáɪə] **動**〈人〉をやる気にする,はげます,アイデア・感情などを吹き込む
  源 *in+spire*(息)=「吹き込む」
- [ ] **inhale**[ɪnhéɪl] **動**息を吸い込む
  源 *in+hale*(息をする) ⇔exhale
- [ ] **inbound**[ínbàʊnd]
  形(移動,乗り物が)国内への,地域内への
  源 *in+bound*(向かって)

influence, influx→p.172　include→p.139

● *en* +名詞＝「〜をあたえる」

- [ ] **encourage**[enkɔ́ːrɪdʒ] **動**〜をはげます,うながす
  源 *en+courage*(勇気)=「勇気をあたえる」
- [ ] **empower**[empáʊə] **動**〜に権限をあたえる　**源** *em+power*(力)
- [ ] **entitle**[entáɪtl] **動**①〜に題をつける　②〜に権利〔資格〕をあたえる
  源 *en+title*(タイトル,肩書)

□ **embody**[embάdi] 動〈感情,考え〉を具体的に表現する,具現化する
　源 *em* + *body* (体,形)

● *en* +形容詞＝「〜にする」
□ **enlarge**[enlάɚdʒ] 動 〜を拡大する
□ **enrich**[enrítʃ] 動 〜を豊かにする
□ **ensure**[enʃúɚ] 動 〜を確実にする
　　源 *en* + *sure* (確かな)
□ **insure**[ɪnʃúɚ] 動 〜に保険をかける　★ ensureの変形。

innate

● 「体の中に入っている」→「生まれつきの」を表す語が多い。
　□ **innate**[ɪnéɪt] 形 (能力など)生まれつきの,固有の
　　　源 *in* + *nat* (生まれる)　　　　　　　　　*nat*→p.215
　　□ **inborn**[ínbɔ́ɚn|ínbɔ́ːn] 形 生まれつきの,固有の
　　□ **inherent**[ɪnhíɚrənt] 形 (力,価値など)固有の,元からある
　　　源 *in* + *here* (くっついている)
　□ **intrinsic**[ɪntrínsɪk] 形 本来の,固有の
□ **instinct**[ínstɪŋkt] 名 本能
　源 *in* + *stinct* (突く)→「内側から生物を突き動かすもの」
　　　　　　　　cf. drive→p.50

コラム　**importantと「くだらない」**

importantは**im**+**port** (運ぶ)で, import「輸入する」の派生語。「**輸入**される物は**重要**な物」というわけだ。一方,むかし京都から江戸に運ばれた貴重な物を「下りもの」と呼んだのに対し,価値のないものは「**下らない**」と言うようになったと言われる。

ject

投げる

物を投げたり,急速に放出することを意味する。ジェットエンジンの*jet*「ジェット」もjectの変形。

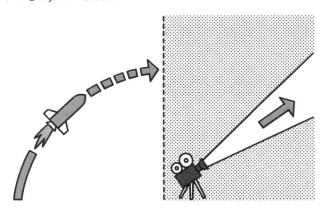

□ **project** 動[prədʒékt] ①〜を計画する ②〜を予測する ③〜を投影する
名[prádʒekt] 計画,プロジェクト

源 *pro*(前へ)+*ject*(投げる)

★放物線を延長するように「未来のこと(点線部分)を予測・計画する」の意味と,スクリーンなどに「〜を投影する」の意味がある。どちらも視覚的イメージは似ている。

pro→p.232

□ **projectile**[prədʒéktl] 名 飛翔体(ミサイルなど),投射物

□**reject**[rɪdʒékt] 動 ～を拒絶する

源 *re*(=back 逆に)＋*ject*(投げる)＝「～を投げ返す」   cf. **refuse**→p.178

□**eject**[ɪdʒékt] 動 ①〈人〉を退去させる　②～を放出する,投げ出す,〈パイロットなど〉を緊急脱出させる,〈ディスクなど〉を取り出す

源 *e*(=*ex* 外へ)＋*ject*

word family

□**inject**[ɪndʒékt] 動 ～に注射する,〈資金〉を注入する

源 *in*(中に)＋*ject*

□**trajectory**[trədʒéktəri] 名 弾道,軌道

源 *tra*(=*trans* 越えて,移って)＋*ject*　　　　　　　　*trans*→p.270

□**jettison**[dʒétəsn] 動 (船や飛行機から)～を投棄する

□**interjection**[ìntədʒékʃən] 名 間投詞(会話の間に投げ込む*oh, dear, damn*など)

kin

*kin*は古英語cynn「種族,親族」に由来するが,さらにさかのぼると*gen*「生む」(→p.179)と同じ祖先を持つ。kindは「生まれ」→「同じ生まれ,種類」→「生まれがよい」→「やさしい」と発展。gentleも「生まれがよい」の意味から「やさしい」に変化したことに注目。

2

語源編

□ **kin**[kín] 名 血族,一族

□ **kinship**[kínʃip] 名 ①親族関係 ②親近感

□ **king**[kíŋ] 名 ((高貴な)一族のリーダー→)王

□ **kind**[káind] 形 やさしい,親切だ 名 種類
　　　源「生まれ」→「生まれがよい」→「やさしい」

□ **akin**[əkín] 形 似ている(+to)
　　　源 *a* (に対し)+*kin* (同族)

□ **kindred**[kíndrəd] 名 ①一族 ②親族関係

　□ **kinsman** [kínzmən] 名 (男の)親族　★ 古風な言葉。

leg, lect, lig

選ぶ, 集める

ラテン語legere「選ぶ, 集める」から。collect「集める」とcollege「大学(学生と講師の集まり)」とcolleague「同僚(仕事のために選ばれた仲間)」はすべて同じ語源だ。(*col = con* いっしょに →p. 141)

□ Wendsday
☑ Wednesday
□ Wednseday
□ Wendseday

intel**lig**ence

□ **intelligence**[ɪntélɪdʒəns] 名 知性, 知能
□ **intellectual**[ìntəléktʃuəl] 形 知的な 名 知性
　　源 *intel*(=inter 中間)+*leg* [*lec*](選ぶ)
　　　→「多くの中から選ぶ力」→知性
□ **select**[səlékt] 動 選び出す(多くからよいものを)
　　源 *se*(離して)+*lect*(選ぶ)
□ **elect**[ɪlékt] 動 ～を選出する 名 election 選挙
　　源 *e*(=ex 出す)+*lect*(選ぶ)

□ **collect**[kəlékt] 動 ～を集める
　　源 *col*(いっしょに)+*lect*(集める)
□ **colleague**[káli:g] 名 同僚
　　★collegeも同じ語源。
　　源 *col*(いっしょに)+*leg*=ともに選ばれた〔集まった〕仲間
□ **elegant**[élɪgənt] 形 ①上品な, 優雅な　②知的で簡潔な(数学の証明など)
　　源 electと同じ。「選りすぐりの」が原義。
□ **eligible**[élədʒəbl] 形 適任の, 適格な
　　源 *e*(出す)+*lig*(選ぶ)+*ible*(できる)=「選ばれる」
□ **legion**[lí:dʒən] 名 軍団, 群れ
　　源 「集まったもの」が原義。

limi, limin

境界, しきい

limit「限界,制限する」の語源。元はドアなどの敷居の意味で,そこから「境界」の意味になった。

limit　eliminate

☐ **eliminate**[ɪlímənèɪt] 動 ～を除去する, 殺す

　源 *e*（外）＋*limin*＝「境界の外に投げ出す」

☐ **elimination**[ɪlìmənéɪʃən] 名 ①除去, 抹殺　②予選（＝弱い者を取り除くこと）

□**subliminal**[sʌblímənl] 形 潜在意識的な, 意識できないレベルの

源 *sub* (下) + *limi*

★意識の境界(=limen)より下というイメージ。

◇ **subliminal message**

「(広告などに含まれる)普通では気づかないようなメッセージ」

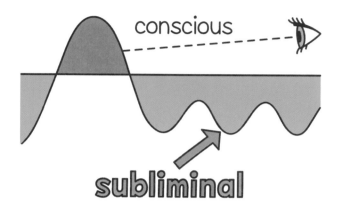

☐**limitless**[límɪtləs] 形 無制限の

☐**preliminary**[prɪlímənèɚri] 形 予備段階の, 準備のための

源 *pre* (前の) + *limin* = 「しきいをまたぐ前の」　　　　　　*pre*→p.232

☐**delimit**[dɪlímɪt] 動 ～の範囲を決める

log(i), logue, (o)logy

言葉, 学

ギリシャ語のlogos「言葉, 議論」「推理, 理性」が起源。「〜についての議論」→「〜の学問」となった。logic「論理」もlogosが起源。

●〜 *ology* 「〜学」

□ **psych**ology[saɪkɑ́lədʒi] 名 心理学　源 *psych* (精神)

□ **bi**ology[baɪɑ́lədʒi] 名 生物学　源 *bio* (生物)→p.123

□ **physi**ology[fìziɑ́lədʒi] 名 生理学　源 *physio* (生理, 自然)

□ **archae**ology[àəkiɑ́lədʒi] 名 考古学　源 *archaeo* (古い)

□ **ge**ology[dʒiɑ́lədʒi] 名 地学　源 *geo* (地)→p.182

□ **crimin**ology[krìmənɑ́lədʒi] 名 犯罪学
　　源 *crime* (犯罪)

□ **paleont**ology[pèɪliɑntɑ́lədʒi] 名 古生物学　源 *paleonto* (古い物)

□ **path**ology[pəθɑ́lədʒi] 名 病理学　源 *patho* (病気)→p.219

□ **immun**ology[ìmjənɑ́lədʒi] 名 免疫学　源 *immuno* (免疫)

●その他の〜 *logy*

□ **phon**ology[fənɑ́lədʒi] 名 音韻論　源 *phono* (音)

□ **method**ology[mèθədɑ́lədʒi] 名 方法論　源 *method* (方法)

□ **techn**ology[teknɑ́lədʒi] 名 科学技術　源 *techno* (技術)

□ **termin**ology[tə̀:mənɑ́lədʒi] 名 専門用語　term (用語)→p.98

□ **ap**ology[əpɑ́lədʒi] 名 謝罪　源 *apo* (〜から)「罪から逃れる言葉」

□ **pro**logue[próʊlɑɡ] 名 プロローグ, 序言　源 *pro* (前)→p.232

□ **epi**logue[épəlɔ̀(:)ɡ] 名 エピローグ　源 *epi* (後)

□ **dia**logue[dáɪəlɔ̀(:)ɡ] 名 対話, 会話　源 *dia* (=across)→p.153

□ **mono**logue[mɑ́nəlɔ̀(:)ɡ] 名 独り言　源 *mono* (ひとつ)

2

語源編

lustr, luc, lumin, lux

光, 輝き, 明るい

*lu*で始まるこれら4つのラテン語の語源は「光, 輝き」を意味する。illumination「イルミネーション」はおなじみ。神戸の「ルミナリエ」Luminarieはイタリア語でilluminationの意味。明るさの単位「ルクス」はラテン語のlux「光」から。「光を当てわかりやすくする」のイメージから「説明」「証明」「明快」の意味につながる。

☐ **illustrate**[íləstrèɪt] 動 ①〜を説明する ②〜を証明する
☐ **illustrated**[íləstrèɪtəd] 形 図, イラストが描かれた
　　源 *il*(=in中)+*lustr*(光)→「(頭の)中を明るくする」→「説明する」→「説明するためにさし絵を書く」

☐ **illuminate**[ɪlúːmənèɪt] 動 ①〜を照らす ②〜を明らかにする
　　源 *il*(=in中)+*lumin*(光)
☐ **elucidate**[ɪlúːsɪdèɪt] 動 〜を説明する, 明らかにする
☐ **lucid**[lúːsɪd] 形 ①明快な ②頭がさえた

word family

□**luster**[lʌ́stɚ] 名 光沢，つや

□**lackluster**[lǽklʌ̀stɚ] 形 つまらない，ぱっとしない

源 *lack*（欠けた）＋*luster*

□**luminescence**[lù:mənésṇs] 名 発光

★「有機EL」はorganic electro luminescent（diode）の略。

源 *lumin*＋*escence*（名詞語尾）＝「光ること」

□**luminous**[lú:mənəs] 形 発光する

□**translucent**[trænslú:sṇt] 形 半透明の

源 *trans*（通して）＋*luc*＝「光を通す」 *trans*→p.270

コラム　金星，悪魔，そしてホタルの光

Luciferは金星（明けの明星）を指すラテン語だ。*luci*（光）＋*fer*（もたらす）が語源。ところがLuciferは悪魔（Satan）の別名でもある。悪魔はもと天国に住む天使だったが，神に追放され「堕天使（fallen angel）」となった。旧約聖書には「明けの明星よ，あなたは天から落ちてしまった。」とある。一方，ホタルの光のもととなる物質luciferin「ルシフェリン」と，それを光らせる酵素luciferase「ルシフェラーゼ」の名にもLuciferが入っている。-inは物質，-aseは酵素を表す語尾だ。

magni, magna, mega, megalo

大きな

bigまたはgreatをあらわす。magnum「マグナム」は大型の拳銃,magnitude「マグニチュード」は地震の大きさ。Magna Cartaはイギリスの「大憲章」。*mega*は100万を表すのにも使われる。

magnify

□ **magnify**[mǽgnəfàɪ] 動 ～を拡大する
源 *magni* + *fy* (=make ～にする)
fy→p.167

word family

□ **magnitude**[mǽgnət(j)ù:d] 名 ①規模 ②〈地震・星の〉等級
□ **magnificent**[mægnífəsṇt] 形 華麗な, すばらしい
□ **magnanimity**[mæ̀gnəníməti] 名 〈敵に対する〉寛大さ
□ **magnate**[mǽgneɪt] 名 大物, 有力者
□ **megalopolis**[mèɡəlápəlɪs] 名 巨大都市
　　源 *megalo* + *polis* (都市)
□ **megalomania**[mèɡəlouméiniə] 名 ①誇大妄想 ②権力欲
　　源 *megalo*+*mania* (狂気)

manu, man, mani, main

手→つくる，あつかう，ささえる

manual「手引書」, manicure「マニキュア」(→p.148)の語源。ラテン語manu「手」から。手の働きである「作る,書く,扱う,支える」などを表す語に含まれる。mannerは「扱い方(＝手法)」の意味から「方法,作法,様式」に拡大した(「扱」に手偏がついていることに注目)。

manuscript

☐ **manual**[mǽnjuəl] 形 手の,手動の(⇔automatic) 名 手引き

☐ **manuscript**[mǽnjəskrìpt] 名 原稿

　　源 *manu*(手で)＋*script*(書いたもの)

☐ **manufacture**[mæ̀njəfǽktʃə] 名 動 ～を製造する

　　源 *manu*(手で)＋*facture*(作る)　　　　　　　　　　*fact*→p.167

☐ **manipulate**[mənípjəlèit] 動〈機械〉を操作する,あやつる

☐ **manage**[mǽnidʒ] 動 ～をうまく扱う,なんとかやる(＋to V), ～を運営する

　　maintain → p.262

mater, matr

母

ラテン語mater「母」が起源。英語のmotherも先祖は同じだ。「母」の意味から「**母体となるもの,なにかを生み出すもの**」の意味に発展する。

□**matter**[mǽtə]
名①物質,材料 ②問題
動重要だ

源 materの変形。「物を生み出す母体」が原義。

◇**dark matter**
「ダークマター（暗黒物質）」

□**material**[mətíəriəl] 名 材料,資料 形 物質的な

□**matrix**[méitriks] 名 母体,基盤,鋳型

★ちなみにpattern「型」の語源はpater（父）だ。

□**maternal**[mətə́:nl] 形 母の,母性愛の

□**maternity**[mətə́:nəti] 名 母性 形 妊娠の

□**matrimony**[méitrimòuni] 名 婚姻関係（= marriage）

源「母になること」が原義。

□**metropolis**[mətrápəlis] 名（国,地域の）主要都市

源 *metro*（=mater）+*polis*（都市）=「母なる都市」

□**Alma Mater**[ǽlmə má:tə] 名 母校

源 *alma*（育てる）+*mater* =「育ての母」

medi, mid, meso

肉の焼きかげんに使うmedium「ミディアム」もこれが語源。middle, midnightもこれの仲間。meson「中間子」のmesoも起源は同じ。

☐ **media**[míːdiə]
　名 マスメディア,情報伝達手段

　源 medium「中間(にある物)」の複数
　　形。

　★「人と人の**間**で情報を伝えるもの」の意
　　味。ちなみにmediumには「**霊媒**,巫女」
　　の意味もある。「死者と生者の**間**をつ
　　なぐもの」ということ。またmeansも
　　mediumと同じ語源で,「**手段**」と「**中間**」のふた
　　つの意味がある。

　☐ **mediocre**[mìːdióʊkə] 形 月並みな,
　　あまりよくない
☐ **median**[míːdiən] 形 名 中央値(の)
☐ **intermediate**[ìntəmíːdiət]
　　形 中級の,中間地点の 源 inter (間の)＋medi
☐ **amid**[əmíd] 前 ～の真ん中に(= in the middle of)
　　源 a (=on)＋mid
☐ **mediate**[míːdièɪt]
　動 〈対立・争いなど〉を仲裁する,調停する

　☐ **intermediary**[ìntəmíːdièəri]
　　名 仲介者
　　源 inter (間の)＋medi

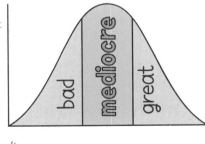

- ☐ **Medi****terra****nean**[mèdɪtəréɪniən] 名 形 地中海(の)
  - 源 *medi* + *terra*(陸地)=「陸地の間」
- ☐ **Meso****potamia**[mèsəpətéɪmiə] 名 メソポタミア
  - 源 *meso*(間)+ *potam*(川)+ *ia*(国)
  - ★ティグリス・ユーフラテス川の間の地域。

- ☐ **immediately**[ɪmíːdiətli]
  - 副 即座に，直ちに
  - 源 *im*(否定)+ *medi*
    - =「間（の時間）がない」
- ☐ **medieval**[mìːdíːvl] 形 中世の
  - cf. the Middle Ages「中世」

コラム **１本ではスパゲッティじゃない？不規則な複数形**

イタリア語のスパゲッティ（spaghetti）は実は複数形で，厳密には１本ならspaghettoだ。ラテン語から来たmediaと同じく，バクテリア（bacteria）も複数形。一個ならbacteriumだ。ギリシャ語系のmitochondria「ミトコンドリア」もmitocondrionの複数形だ。ラテン・ギリシャ系の複数形語尾をまとめてみよう。

単数→複数	例
-um[əm]→-a[ə]	medium→media, curriculum→curricula, stratum→strata
-on[ən]→-a[ə]	phenomenon→phenomena, criterion→criteria, automaton→automata
-us[əs]→-i[ai]	stimulus→stimuli, focus→foci, cactus→cacti, nucleus→nuclei
-sis[sis]→-ses[siːz]	crisis→crises, analysis→analyses, basis→bases, axis→axes
-a[ə]→-ae[iː]	*formula→formulae, larva→larvae
-ma[ə]→-mata[ətə]	stigma→stigmata, ＊schema→schemata
-ix[iks]→-ices[isiːz]	appendix→appendices, matrix→matrices

＊ただし**formulas, schemas**のように現代では-sの形のほうが普通な語もある。また**data**は本来datumの複数形だが，論文など正式の英語以外では不可算名詞あつかいが多い。

min(i),minu

小さな

minicar「ミニカー（小型自動車）」, miniskirt「ミニスカート」, minus「マイナス」などの語源。反対は*max*。

diminish

□**di**mini**sh**[dəmíniʃ] 動 ～を縮小する, 小さくなる〔する〕

word family

□**mini**m**al**[mínəml] 形 最小限の
□**mini**m**alist**[mínəmlıst] 名 形 ミニマリスト(の) ★ 最小限の物で表現[生活] すること。
□**mini**m**um**[mínəməm] 名 最小(量)
□**minu**t**e**[mínət] 名 分(＝時間を小さく分けた) 形 [mainjːt] 微小な
 □**minu**sc**ule**[mínəskjùːl] 形 微細な(＝ miniscule)
□**di**mi**nu**ti**ve**[dımínjətıv] 形 小型の, ちっちゃい
□**min**or[máınə] 形 より小さい, ささいな ⇔major
     cf. micro「非常に小さな, 微細な」, macro「大きな」

209

mir(a), mar

驚く，見る

ラテン語mirari「驚く」から。「(驚いて) ながめる」に変化。スペイン語mirarはlookの意味。mirror「鏡」は「(顔を) 見るもの」の意味。「(自分を) 見て驚く」からという説もある。

- ☐ **mira cle**[mírəkl] 名 奇跡，驚くべき幸運
- ☐ **mira culous**[mərǽkjələs] 形 奇跡的な，驚くほど幸運な
- ☐ **ad mire**[ədmáɪə] 動 〜に感嘆する
    - 源 *ad*（対して）+ *mire*（= *mira*）
- ☐ **mira ge**[mərɑ́:ʒ] 名 しんきろう
    - 源「見えるもの／驚くべきもの」の意味
- ☐ **mar vel**[mɑ́ɚvl] 動 驚く（+at）名 驚異

mit, miss

送る (send, put)

*mit*も*miss*もラテン語mittere「送る, 投げる, 放つ」から生まれた。messageも「送られるもの」の意味。messengerは「messageをとどける者」。

□ **emission**[ɪmíʃən] 名 排出, 放出
  例 CO₂ emission「CO_2排出(量)」
  源 *e*(外へ)＋*miss*(送る)＝「出す」
  ★動詞形はemit。

□ **mission**[míʃən] 名 ①使命, 任務 ②布教(団), 使節団
  源「(使命を与えられ)送り込まれること」

□ **missionary**[míʃənèəri] 名 宣教師
  ★mission ②から。

□ **missile**[mísl|mísaɪl] 名 ミサイル
  源「(敵地に)送られるもの」が元の意味。

2

語源編

211

☐ **transmit**[trænsmít|trænzmít] 動〈情報など〉を伝える，～を伝染させる

名 transmission 伝達

源 *trans*（移して）+ *mit*　　　　　　　　　　　*trans*→p.270

☐ **permit**[pəmít] 動 ～を許可する　名 permission 許可

源 *per*（通して =through）+ *mit*＝「通過させる」

☐ **admit**[ədmít] 動 ①～を事実と認める　②～の入場〔入学〕を許可する

源 *ad*（～へ）+ *mit*＝「送り込む，通す」

☐ **dismiss**[dɪsmís] 動 ①〈考えなど〉をしりぞける　②〈人〉を解雇する　*dis*→p.155

源 *dis*（離して）+ *miss*

☐ **submit**[səbmít] 動 ①～を提出する　②～を服従させる，服従する（+**to**）

源 *sub*（下に）+ *mit*＝「（相手の）支配下に置く，ゆだねる」

☐ **remittance**[rɪmítn̩s] 名 送金

☐ **missive**[mísɪv] 名 メッセージ，手紙

★古風でおどけた言い方。

ギリシャ・ローマの神々の名から生まれた単語は多い。**music**は「ミューズ(the Muses)の芸術」の意味で，ミューズはギリシャ神話の学問の女神たちMusa「ムーサ」だ。同じく**museum**「博物館」はmouseion「ミューズの神殿」が語源。また惑星や衛星の名が神の名そのものなのはごぞんじだろう。例えば**Mars**「火星」はローマの戦いの神，**Venus**「金星」は愛の女神だ。Marsの形容詞形**martial**は「戦いの，軍隊の」の意味で，martial arts「格闘技」，martial law「戒厳令(軍隊に警察権等をゆだねること)」などに使われる。またVenusの形容詞形は**venereal**だが，venereal disease「ヴィーナスの病気」とは「性感染症(sexually transmitted disease)」のことだ。

monstr, moni(t)

示す，知らせる

ラテン語monstrare「見せる，示す」から来た。monsterは「知らせるもの」の意味。奇怪な動物の出現は天変地異が来ることの警告だという迷信から生まれた語。観葉植物のモンステラmonsteraは葉がオバケみたいなのでこの名がついた。

EARTHQUAKE

☐ **demonstrate**[démənstrèɪt]
　動①～を示す，証明する　②デモする

☐ **admonish**[ædmάnɪʃ]
　動～に警告する（人＋to V），
　　～をしかる

☐ **monstrosity**[mɑnstrάsəti]
　名奇形，奇怪〔極悪〕なもの

☐ **premonition**[prìːməníʃən]
　名前兆，予感
　　源 *pre*（前もって）＋*monit*（知らせる）

2
語源編

コラム　**監視カメラとオオトカゲ**

monitor「モニター」は監視装置，監視員，コンピュータやテレビの画面などの意味だが，「オオトカゲ」という奇妙な意味もある。monitorの語源はmonsterと同じで**「知らせるもの，警告するもの」**の意味だが，オオトカゲは恐ろしいワニ（crocodile）が近くにいると警告してくれるという伝説からmonitorの名がついたのだ。オオトカゲはワニの卵が好物なので，この伝説はでたらめというわけでもない。

mot, mob, moʋ

動く，動かす

motor「モーター，エンジン(＝動かすもの)」, motion「モーション，動き」
の中に入っている語根で，ラテン語movere(＝move)に由来する。move「動
く」もここから。

☐ **motivate**[móʊtəvèɪt] 動 ～を動機づける，やる気にさせる
☐ **motivation**[mòʊtəvéɪʃən] 名 動機づけ，やる気，刺激
☐ **motive**[móʊtɪv] 名 動機　源「(人を)動かすもの」
☐ **promote**[prəmóʊt] 動 ～を促進する 源 *pro*(前に)＋*mot*＝「前に動かす」*pro*→p.232

word family

☐ **mobile**[móʊbl] 形 移動できる，流動的な
◇ **mobile phone**「携帯電話(＝cell phone)」　★ イギリス英語に多い。
☐ **mobilize**[móʊbəlàɪz] 動 〈軍隊など〉を動員する，〈物〉を準備する
☐ **automobile**[ɔ́:təməbì:l] 名 自動車　→p.118
☐ **locomotive**[lòʊkəmóʊtɪv] 名 機関車 源 *loco*(場所)＋*mot*＝「場所を移動するもの」

214

na(t)

生まれる

ラテン語で「生まれる」はnasci。na (t)はその過去分詞から。natureは「生まれたときの状態」が原義。Natalieという女性の名はnatale domini（主イエスの誕生）つまりChristmasの意味（dom→p.158）。Natashaも同じ起源。なお, na (t)とgen (→p.179)とkin (→p.197)はすべてインドヨーロッパ祖語のgeneという語源にさかのぼる。

- □ **native**[néɪtɪv] 形 生まれた土地の, 母国の, 原住民の
- □ **nation**[néɪʃən] 名 民族, 国家
  - 源 「同じ土地で生まれた人々」ということ。
- □ **prenatal**[prinéitəl] 形 出産前の
  - ⇔postnatal 出産後の
- □ **neonatal**[nìːəunéitəl] 形 新生児（期）の
  - 源 neo（新しい）+ nat
- □ **nascent**[nǽsn̩t] 形 発生期の, 初期の
- □ **naïve**[nɑːíːv|naɪíːv] 形 ①世間知らずの, 幼稚な　②無邪気な
- □ **Renaissance**[rènəsáːns] 名 ルネサンス
  - 源 re（再）+ naissance（誕生）=「芸術・学問の再生」
  - innate→p.194

コラム　**naturalistとnaturist**

naturalistとnaturistとはどんな人のことだろう? どちらも「自然が好きな人」だが意味はまったく異なる。naturalistは動植物が好きな人, 博物学者のこと。一方naturistは生まれたまま=裸で暮らすのが好きなnudistのことなので混同しないように。

2
語
源
編

nutri, nur(t), nouri

育てる

ラテン語nutrir「乳をやる, 育てる」の*nutri*から。nurseやサプリメント(栄養補助食品)を製造する会社Nutrilite「ニュートリライト」の語源もこれ。

☐ **nurse**[nə́ːs] 名 ①看護師　②保育士
> 源 「乳母(うば)」が原義。

☐ **nursery**[nə́ːsəri|nə́ːsri] 名 ①保育所　②養殖場, 苗の栽培場
> 源 *nurse*＋*ery* (場所)

☐ **nourish**[nə́ːrɪʃ|nʌ́rɪʃ] 動 ～を養育する, ～に食物・養分をあたえる

☐ **nutrient**[n(j)úːtriənt] 名 栄養素

☐ **nutrition**[n(j)uːtríʃən] 名 栄養　malnutrition→p.122

☐ **nurture**[nə́ːtʃə] 動 〈子, 植物〉を育てる, 育む 名 養育
> 例 nature or nurture「生まれか育ちか」

216

nov(a), neo

新しい

ラテン語nova「新しい」から。英語ではnovaは「新星」を意味する。

renovation

- [ ] **renovation**[rènəvéɪʃən] 名 (建物の)改装, 修理, 修復

    源 re (再び)＋nova

    ★建物の改装をrenewalやreformとは言わない。

- [ ] **innovation**[ìnəvéɪʃən] 名 革新, 新技術などの導入 形 innovative 革新的な

    源 in (中に)＋nova＝「新しい物を取り入れる」

- [ ] **novice**[návəs|návɪs] 名 初心者(＝beginner)

- [ ] **novel**[návl] 形 新しい 名 小説

    ★伝説などに対し, 新しく作られた物語という意味。

    ◇**novel coronavirus**「新型コロナウイルス」

- [ ] **supernova**[sùːpənóʊvə] 名 超新星(爆発して輝く星)

- [ ] **neoclassical**[nìːə-klǽsɪkl] 形 (美術, 経済学)新古典主義の

    neonatal → p.215

neonatal → p.215

2

語
源
編

par

等しい

ゴルフ用語のpar「パー」がこれ。「基準打数と等しい」の意味だ。

☐ **compare**[kəmpéɚ]
　①～を比較する
　②(compare A to B)
　「AをBにたとえる」
　图comparison
　　源 com (いっしょに)＋par
　　　→「つり合わせる」
　　例 compare life to a game
　　　「人生をゲームにたとえる」

☐ **comparable**[kámpərəbl]
　形類似した, 同等の

word family

☐ **par**[páɚ|pá:] 图①同等, 等価(＋with)　②平均
　　例 below par 「平均未満で」

◇**on a par with A** 「Aと同等で」

☐ **pair**[péɚ] 图一組, ペア
　　源 parの変形。「等しいふたつ」が原義。
　　例 a pair of glasses 「メガネひとつ」

☐ **peer**[píɚ] 图(年齢や地位などが)同等の人
　　源 parの変形。

☐ **parity**[pǽərəti|pǽrəti] 图等価, 同等(=equality)　⇔disparity不均衡, 格差

path, pathy, pati, passi

苦しみ，感情

path, *pathy*はギリシャ語のpathos「苦しみ，感情」，*pati*, *passi*はラテン語passio「苦しみ，忍耐」から。*path*, *pathy*は「苦しみ」から発展して「病気」も意味するようになる。

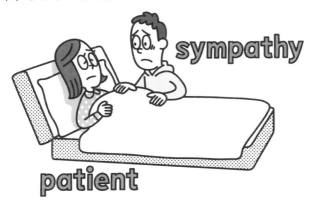

☐ **patient**[péɪʃənt] 名 患者 形 がまん強い

源 「苦しむ人」→「患者」，「苦しみに耐える」→「がまん強い」

☐ **sympathy**[símpəθi] 名 同情，共感

源 *sym* (共に) + *pathy* (苦しみ，感情)

☐ **empathy**[émpəθi] 名 共感，感情移入

源 *em* (=in 中) + *pathy*

☐ **apathy**[ǽpəθi] 名 無関心，無感動

源 *a* (無い) + *pathy*

☐ **compassion**[kəmpǽʃən] 名 同情　★助けたい気持ちを含む。

源 *com* (共に) + *passion* (苦しみ)

☐ **passive**[pǽsɪv] 形 受け身の，消極的な

● *path* = 病気

□ **path**ology [pəθάlədʒi] 名 病理学
　 源 *path* + *ology* (学)

□ **psycho**pathology [sàikəupəθάlədʒi] 名 ①精神病理学　②精神病
　 源 *psycho* (精神) + *pathology*

□ **psycho**path [sáikəpæθ] 名 サイコパス

□ **path**ogen [pǽθədʒən] 名 病原体
　 源 *path* + *gen* (生む)
　　　　　　　　　　　　　　　　　　　　　　gen →p.179

□ **path**etic [pəθétɪk] 形 あわれな,情けない
　 源 「痛ましい」が原義。

　コラム　　**情熱のプレイとは？**

passion-play ってどんなプレイだろうか？ 映画『オペラ座の怪人』では字幕翻訳家のT氏によって「情熱のプレイ」と訳された。なんかロマンテックなひびきだ。でも実はこれキリストの磔刑を描く演劇,「受難劇」のこと。映画*the Passion*も「キリスト受難」という意味。またpassion fruitも「情熱の果実」ではなくpassion flower「受難の花」の実という意味だ。めしべがはりつけに使われた3本のくぎを,巻きひげがむちを,花がいばらの冠を連想させるのでこの名がついたらしい。バッハの作品*St Matthew Passion*は『マシューの情熱』ではなく「マタイ受難曲」だ。

ped, pod

足

pedalは足で踏む。海岸に並んでいるテトラポッド(tetrapod)は「4本足」の意味。確かに足のような部分が4つある。映画*Arrival*「メッセージ」に出てくる7本足エイリアンはheptapodで*hepta*(7)+*pod*(足)。

impede　expedite

2
語
源
編

☐ **impede**[ɪmpíːd] 動 ～を遅らせる，停滞させる

源 *im*(中)+*ped*(足)→「足かせをはめる」→「遅らせる」

☐ **expedite**[ékspədàɪt] 動 ～を促進する，早める

源 *ex*(外)+*ped*→「足かせをはずす」→「速く歩かせる」

☐ **pedestrian**[pədéstriən] 名 歩行者

☐ **biped**[báɪped] 名 二足歩行の動物(ヒト，鳥など)

源 *bi*(2)+*ped*

☐ **centipede**[séntəpìːd|séntɪpìːd] 名 ムカデ　★漢字でも「百足」。

源 *centi*(100)+*ped*

☐ **tripod**[tráɪpɑd] 名 三脚

源 *tri*(3)+*pod*

tri→p.273

pend, pens

ぶら下がる, 垂れる

ズボンのサスペンダー (suspender) もペンダント (pendant) も *pend*「ぶら下がる, ぶら下げる」が語源。なおexpenseやspend (→p.222) も同じ語源で,「てんびんにぶら下げる」→「量る」→「金を量り分けて支払う」と発展した。宙ぶらりんのイメージから「一時的に中止している」→「もうすぐ起きる」などの意味も生まれる。

depend

□ **depend**[dɪpénd] 動 頼る, しだいで決まる
源 *de* (下に)+*pend* (ぶら下がる)

□ **dependent**[dɪpéndṇt] 形 依存した

⇔□ **independent**[ìndɪpéndənt] 形 独立した

□ **codependency**[kòʊdɪpéndṇsi] 名 (心理学)共依存
源 *co* (共に)+*depend*
★AがBに依存し, BはAを支える自分の役割だけに価値を見出す(=依存する)という状態。

222

☐**compensate**[kámpənsèɪt] 動 補償する,埋め合わせる(+for)

源 *com* (いっしょに)+*pens* (量る)→「損害と償いをつり合わせる」

expense→p.163, expend→p.164

damage

compensate

━━━━━ word family ━━━━━

☐**impending**[ɪmpéndɪŋ] 形 差し迫った

源 *im* (上に)+*pend*=「頭上にぶら下がっている」

☐**suspend**[səspénd] 動 ①(be suspended)ぶら下がる

②〜を一時中止する,保留する

源 *sus* (=*sub* 下に)+*pend*

sub→p.260

☐**suspense**[səspéns] 名 (何か起こりそうな)不安,サスペンス

☐**pending**[péndɪŋ] 形 ①未解決の,懸案の ②差し迫った

　☐**pendulum**[péndʒələm] 名 振り子

☐**perpendicular**[pə̀ːpṇdíkjələ] 形 垂直の

源 *per* (まっすぐ)+*pend*

★重りを糸でつるすと地面に垂直となる。

☐**appendix**[əpéndɪks] 名 ①虫垂(大腸にぶら下がっている器官) ②付録

源 ①*ap* (=*ad* 〜に)+*pend*=「ぶら下がった(くっついた)もの」

2

語
源
編

pel, puls

押す, 突き動かす

push, drive (→p.50)に相当する。pulsare (ラテン)「押す」から。実はpush
自体もこれが変形したものだ。

compel

☐ **compel**[kəmpél]
　動(＋O to V) OにVを強制する
　　源 com (強く)＋pel
　　　★嫌なことを「ゴリ押し」でさせるイメージ。

☐ **compulsory**[kəmpʌ́lsəri]
　形 強制的な, 義務的な

☐ **compulsion**[kəmpʌ́lʃən]
　名 強制, 強迫

impulse

☐ **impulse**[ímpʌls] 名 衝動, 推進力, 衝撃
　源 im (＝in 中で)＋puls (押す)
　　＝「中から突き動かす力」
　　cf. instinct→p194., drive→p.50

word family

☐ **propel**[prəpél]
　動 ～を前進させる　　名 propulsion 推進
　　源 pro (前へ)＋pel
　　　★プロペラ(propeller)はこの語から。　　　　　　　　　　pro→p.232

☐ **repel**[rɪpél] 動 ①〈敵など〉を追い払う　②～に反発する　③〈人〉を嫌悪させる
　　源 re (=back 後ろへ)＋pel＝「押しもどす」　　　　　　　　re→p.243

☐ **repulsive**[rɪpʌ́lsɪv] 形①嫌悪させる ②(物理)反発する

☐ **expel**[ɪkspél] 動(学校・国などから)〈人〉を追放する,退去させる

源 *ex*(外へ)+*pel* 　　　　　　　　　　　　　　*ex*→p.163

☐ **dispel**[dɪspél] 動〈不安・疑いなど〉を追い払う

源 *dis*(離して)+*pel* =drive away

☐ **catapult**[kǽtəpʌ̀lt] 名カタパルト(飛行機を空母から発射する装置)

動〜を発射する

☐ **pulse**[pʌ́ls] 名脈拍,鼓動

---

pete, peti

求める

ラテン語petere「求める,ほしがる」から。

compete

☐ **compete**[kəmpíːt] 動競争する(+with)

源 *com*(いっしょに)+*pete*

★同じものをふたりがほしがると競争になる。

com→*p.141*

☐ **competitive**[kəmpétətɪv]

形①競争的な ②他に負けない

☐ **petition**[pətíʃən]

名(人々の)嘆願,請願 動請願する

☐ **appetite**[ǽpətàɪt] 名食欲,欲求

源 *a*(対して)+*peti*

ple, pli, plic, ply

重ねる，折りたたむ

ple, *pli*, *plic*, *plex*, *ply*, *ploy*はすべて「重ねる，折りたたむ，編む」などを意味する。「重ねる」の意味から「くり返す，複製する，倍にする」などの意味に広がる。

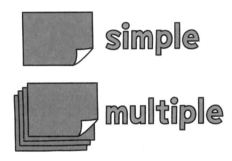

- [ ] **simple**[símpl] 形 単純な，単一の
  源 *sim* (1) ＋ *ple* (重ねる) ＝「一重の」
- [ ] **double**[dʌ́bl] 形 ２倍の，２回の 動 ２倍になる〔する〕
  源 *dou* (2) ＋ *ble* (*ple*の変形) ＝「二重の」
- [ ] **triple**[trípl] 形 ３倍の，３回の 動 ３倍になる〔する〕
  源 *tri* (3) ＋ *ple* ＝「三重の」 *tri*→p.273
- [ ] **multiple**[mʌ́ltəpl] 形 多重の，多様な，複合的な
  源 *multi* (多くの) ＋ *ple* (重ねる) ＝「多重の」
- [ ] **multiply**[mʌ́ltəplài] 動 ①掛け算する ②増加・増殖する〔させる〕
- [ ] **duplicate**[d(j)úːplɪkət] 動 ～を複製する，２倍にする 名 複製，コピー 形 複製の
  源 *du* (2) ＋ *pli*
- [ ] **duplex** [d(j)úːpleks] 形 二重の，２倍の

□ **reply**[rɪpláɪ] 動 返事する 名 返事
　源 re (逆に,返して)＋ply
　＝「折り返す」→「返事する」
　　　　　　　　　　　re→p.243

□ **replicate**[répləkèɪt]
　動 ①～を複製する(＝duplicate),再現する
　　②自己複製する,増殖する

□ **replica**[réplɪkə] 名 複製,レプリカ

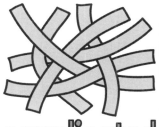

□ **complicated**[kámpləkèɪtɪd] 形 複雑な
　源 com (いっしょに)＋pli＝重なり合った

□ **complex**[kəmpléks] 形 複雑な,複合的な
　名 ①コンプレックス(心理) ②集合施設
　★complicatedと同じ語源。　　　　con→p.141

word family

□ **pleat**[plíːt] 名 (スカートなどの)プリーツ,ひだ

□ **plait**[pléɪt|plǽt] 名 ①三つ編み(髪など) ②ひだ 動 ～を編む

□ **plywood**[pláɪwòd] 名 合板(＝重ねた板)

□ **imply**[ɪmpláɪ] 動 ～を暗に意味する,含意する 名 implication 含蓄
　源 im (中に)＋ply (折りたたむ)＝「包み込まれた,含まれた」

□ **implicit**[ɪmplísɪt] 形 ①暗に含まれた ②潜在的な

□ **explicit**[ɪksplísɪt] 形 ①明確な,わかりやすい ②(描写が)ひわいな
　源 ex (外に)＋pli (折る)＝「広げた」→「よく見える」 cf. explain→p.165

□ **display**[dɪspléɪ] 動 ①～を展示〔表示〕する ②〈感情,能力など〉を見せる
　源 dis (逆)＋play (plyの変形)＝「広げる」→「見せる」
　★play「遊ぶ」とは無関係。

2

語
源
編

ple(t), pli, ply

満たす、満ちる

ラテン語plere「満たす」あるいはplenus「満ちた」から。

- □ **complete**[kəmplíːt] 形完全な 動～をしあげる,完成させる
    源 *com*（強意）＋*ple*（満たす）
- □**deplete**[dɪplíːt] 動～を使い果たす,枯渇させる
    源 *de*（逆）＋*ple*（満たす）
- ◇**depleted uranium**「劣化ウラン」
- □**supply**[səpláɪ] 名供給 動～を供給する
    源 *sup*（上まで）＋*ply*（満たす）
- □**supplement**[sʌ́pləmənt] 名①補足,付録 ②サプリメント（補助食品）
    動～を補う
- □**complementary**[kàmpləméntəri] 形補足する,相補的な
- □**plenary**[plíːnəri] 形（会議など）全員出席の
- □**replete**[rɪplíːt] 形満ちた（＋with）

228

pose, posi(t), pon

置く

「置く」の意味のラテン語ponereから生まれた。他に*post, pound*などになることもある。position「位置」は「置かれた」から。

□ **compose**[kəmpóʊz] 動①〜を構成する
②作曲する，〜を作文する
　图composition 作曲，作文，構成
　源 *com* (いっしょに)＋*pose*＝「組み立てる」
　　＝put together
□ **component**[kəmpóʊnənt] 图構成要素，部品
□ **compound**[kɑ́mpaʊnd] 图化合物 形複合的な
□ **composure**[kəmpóʊʒɚ] 图冷静さ
　★心がまとまっている状態。

□ **impose**[ɪmpóʊz] 動〈税，罰など〉を課す，押しつける
　源 *im* (on 上に)＋*pose*＝「乗せる」　　　　　　　　　　　　*in, en*→p.193
　★impose A on B 「AをBに課す」の形で使う。putで置き換え可能なことが多い。
　例 impose (=put) a new tax on the rich 「富裕層に新税を課す」

□ **suppose**[səpóuz]

動 想定する,仮定する,推測する

源 *su*(下に)+*pose*(置く)

★まず議論の前提を**下に置き**,それを土
台にして結論を出す(conclude)という
イメージ。

□ **expose**[ikspóuz]

動 ~をさらす(+to)

◇**be exposed to A**

「Aにさらされる」

源 *ex*(外に)+*pose*

★**外に**物を**置く**と雨風や日光に
さらされる。

□ **exposure**[ikspóuʒɚ]

名 露出,暴露

word family

□ **oppose**[əpóuz] 動 ~に反対する

□ **opposite**[ápəzit] 形 逆の 前 ~の向かいに,逆に

□ **opponent**[əpóunənt] 名 対戦相手

源 *op*(=*ob* 対して)+*pose, posit, pon*=「反対側に置く」

□ **dispose**[dispóuz] 動 処分する,捨てる

源 *dis*(離して)+*pose*=「離して置く」

□ **deposit**[dipázət] 名 ①頭金(**down payment**),敷金 ②堆積物 動 ~を下ろす

源 *de*(下に)+*posit*

□ **postpone**[poustpóun] 動 ~を延期する

源 *post*(あとに)+*pon*=「あとに回す」

□ **posture**[pástʃɚ] 名 姿勢,態度

★「体の置き方」が原義。

preci, praise, pri

価値, 値段

ラテン語precium「価値, 報酬」が起源。「価値を認める」から「ほめる」も派生。

☐ **precious**[préʃəs] 形 貴重な
　　源「価値がある」

☐ **appreciate**[əpríːʃièɪt] 動 ①〜を正しく評価する　②〈人の行為〉に感謝する
　　源 ap (=ad 対して)＋preciate〈価値をつける〉

☐ **depreciate**[dɪpríːʃièɪt] 動 価値が下がる, 〜の価値を下げる
　　源 de (下に)＋preciate〈価値をつける〉

☐ **price**[práɪs] 名 ①価格　②代償

☐ **prize**[práɪz] 名 賞　★ priceの変形

☐ **praise**[préɪz] 動 〜をほめる

　☐ **appraise**[əpréɪz] 動 〈能力, 仕事など〉を評価する

☐ **priceless**[práɪsləs] 形 非常に貴重な
　　源 price＋less (ない)＝「値段がつけられない」

pre vs. pro vs. fore

前に, 以前に vs. 前方へ, 未来へ =fore

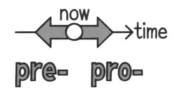

このふたつの古い起源は同じで, 空間的な意味はどちらも「前」だが, 時間的な意味で使うときは, **基準となる時点以前が**pre, **その時点より未来が**proとなるのが原則。なおproには「〜に賛成して(=for)」の意味もある。古英語から来たfore「前に」もpreやproに近い意味だ(実はforもbeforeも遠い先祖はproと同じ)。

□**precede**[prɪsíːd] 動〜に先行する
例 The Bronze Age preceded the Iron Age.
「青銅時代は鉄器時代より前だった」
源 *pre* (以前に)＋*cede* (行く)

□**proceed**[prəsíːd] 動①進む ②始める(＋to V)
源 *pro* (前へ)＋*ceed* (行く) *ceed*→p.125

● *pre* 空間的意味
□**present**[prézn̩t] 形①今の ②出席〔存在〕している
動①〜を贈呈する ②〜を発表〔提案〕する
源 *pre* (前に)＋*sent* (ある)→「(人の)前に置く」

232

☐ **prefer**[prɪfə́ː] 動 ～をより好む

　　源 *pre*＋*fer*（置く）＝「優先する」

☐ **preposterous**[prɪpɑ́stərəs] 形 不合理な, ばかげた

　　源 *pre*＋*post*（後ろ）＝「前後あべこべ」

● *pre* 時間的意味「先に, 前もって」

☐ **previous**[príːviəs] 形 以前の　源 *pre*＋*via*（道）

☐ **prehistoric**[prìːhɪstɔ́ərɪk] 形 有史以前の, 先史の　源 *pre*＋*history*

☐ **prepare**[prɪpéə] 動 ～を用意〔準備〕する　源 *pre*＋*pare*（準備する）

☐ **precaution**[prɪkɔ́ːʃən] 名 用心, 予防策　源 *pre*＋*caution*（警戒）

☐ **premature**[prìːmət(j)úə] 形 早過ぎる　源 *pre*＋*mature*（熟した）

☐ **presume**[prɪz(j)úːm] 動 推定する　源 *pre*＋*sume*（取る）＝「結論を先取りする」

☐ **preliminary**[prɪlímənèəri] 形 予備段階の, 準備のための

　　源 *pre*＋*limin*（境界）　　　　　　　　　　　　　*limin*→p.199

☐ **prejudice**[prédʒədɪs] 名 偏見

　　源 *pre*＋*judice*（判断）＝「知る前に判断すること」

☐ **premise**[prémɪs] 名（主張の）前提　源 *pre*＋*mise*（置く）　　*miss*→p.211

☐ **preface**[préfəs] 名 はしがき, 序文　源 *pre*＋*face*（話す）

☐ **prescribe**[prɪskráɪb] 動 ①〈薬〉を処方する　②指示を出す

　　源 *pre*＋*scribe*（書く）

☐ **prelude**[préljuːd] 名 ①序曲　②前兆　源 *pre*＋*lude*（＝play 演奏）

◇**preemptive strike**「先制攻撃」

☐ **preview**[príːvjùː] 名（映画の）試写会　源 *pre*＋*view*（見る）

☐ **premeditated**[priméditèitɪd] 形（殺人など）計画的な

　　源 *pre*＋*meditate*（考える）

　　　　prevent → p.278　　predict → p.154

● *pro* 空間的意味

☐ **propose**[prəpóʊz] 動 ～を提案する

　　源 *pro*＋*pose*（置く）＝「（人の）前に提示する」　　cf. present→p.232

☐ **protest** 名[próʊtest] 抗議　動[prətést] 抗議する

　　源 *pro*（人の前で）＋*test*（証言する）

2

語
源
編

☐ pro**voke**[prəvóuk] 動〈感情〉を呼び起こす，～を怒らせる

源 *pro* + *voke* (呼ぶ) =「呼び出す」

☐ pro**trude**[proutrúːd] 動突き出る　源 *pro* + *trude* (突く)

☐ pro**state**[prásteɪt] 名前立腺　源 *pro* + *state* (立つ，ある)　　　*sta*→p. 256

★ぼうこうの前にあるから。

● *pro* 時間的意味

☐ pro**spect**[práspekt] 名見込み，見通し，可能性

源 *pro* + *spect* (見る)　　　*spect*→p.254

☐ pro**long**[prəlɔ́ːŋ] 動〈時間など〉を延長する

源 *pro* + *long* (長い)

☐ pro**mise**[práməs] 名動～を約束(する)

源 *pro* + *mise* (送る) =「(行為を)先送りする」　　　*miss*→p.211

☐ pro**active**[proʊǽktɪv] 形先を見越した

源 *pro* + *active* (行動的な)

☐ pro**crastination**[proʊkrǽstənéɪʃən] 名遅延，ぐずぐずすること

源 *pro* + *crastin* (あした)

project→p.195, propel→p.224, promote→p.214, progress→p.187

コラム　ぐずぐずする人vs.先々やる人

やるべきことをいつも**先延ばしにする人**はprocrastinatorと言われるが,最近,その逆に何でも期限より**早くやってしまう人**のことを表す言葉が作られた。それが**pre**crastinatorだ。このことからもネイティヴスピーカーたちがproとpreの違いをはっきり意識していることがわかる。

● 「生み出す，増殖する」系の語は *pro* がつくものが多い。

☐ pro**duce**[prəd(j)úːs] 動～を生産する,産む

源 *pro* + *duce* (引き出す)　　　*duce*→p.159

☐ pro**geny**[prádʒəni] 名子孫　源 *pro* + *geny* (生む)　　　*gen*→p.179

☐ pro**create**[próʊkrièɪt] 動〈子〉を産む　源 *pro* + *create* (生み出す)　　　*cre*→p.145

□ **proliferation**[prəlìfəréɪʃən] 名 増加,増殖

◇**nuclear nonproliferation treaty** 「核不拡散条約」(NPT)

□ **propagate**[prápəgèɪt] 動 ～を繁殖させる,〈思想〉を広める

● *pro* 「賛成,肯定的」=for

　□ **pro-life**[proʊláɪf] 形 (胎児の命優先→)中絶反対の

　　⇔pro-choice (母の選択賛成の→)中絶賛成の

　◇**pros and cons** 「賛成と反対,長所と短所」

　　★conはcontra 「～に反して」の短縮形。

　□ **probiotic**[proʊbaɪátɪk] 名 プロバイオティック(有益な細菌,またはそれを含む食品)

　　源 *pro* (肯定する)＋*bio* ((微)生物)

コラム ● **probioticとprebiotic**

細菌をやっつける抗生物質(**anti**biotic)に対して,逆に細菌を「前向き」にとらえ,有益な細菌を体にとりいれて健康状態を改善しようという発想で作られたのが**pro**biotic食品だ。乳酸菌や納豆菌などが含まれている。なお,これとまぎらわしいが**pre**bioticとはpre (以前＝元になる)＋bio (微生物)で,細菌の栄養源となるオリゴ糖などを含む食品のこと。

● *for* (*e*) も 「前」 の意味で =*pro, pre*

□ **forecast**[fɔ́ərkæst] 名 予報 動 ～を予測する(≒predict)

　　源 *fore* (前もって)＋*cast* (投げる)　cf. project→p.195

□ **foresee**[fɔərsíː] 動 ～を予見〔予知〕する

　　源 *fore* (前もって)＋*see* (見る)

□ **foresight**[fɔ́ərsàɪt] 名 先を見る力,展望　cf. prospect→p.234, 255

□ **forehead**[fɔ́ərhèd] 名 ひたい

　　源 *fore* (前)＋*head* (頭)＝「前頭部」

□ **forward**[fɔ́ərwərd] 副 ①前方へ　②未来へ

　　源 *fore*＋*ward* (方向へ)

□ **forerunner**[fɔ́ərrʌ̀nər] 名 先行するもの,先駆者(=precursor→p.150),前兆

　　源 *fore*＋*runner* (走るもの)

press

押す，圧する

press「〜を圧迫する，アイロンをかける」でおなじみ。「圧迫する」から「鎮圧する，迫害する」などの意味にも発展する。

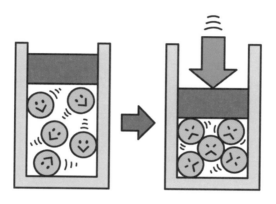

☐ **compress**[kəmprés] 動〜を圧縮する

　　源 *com*（いっしょに）＋*press*＝「押していっしょにする」

con→p.141

☐ **compressor**[kəmprésɚ] 名コンプレッサー，気体圧縮機

☐ **depress**[dɪprés] 動憂うつにする

　　源 *de*（下に）＋*press*＝「押し下げる」

☐ **depression**[dɪpréʃən] 名①うつ状態　②不況

□ **express**[ɪksprés] 動 〜を表現する
　　名 急行　形 明示された
　　　源 *ex*（外に）＋*press*＝「押し出す」→「感情などを表す」
□ **expression**[ɪkspréʃən] 名 ①表現　②表情
□ **impress**[ɪmprés]
　　動 〜を感動〔感心〕させる，印象づける
□ **impression**[ɪmpréʃən] 名 印象，感動
　　　源 *im*（上に）＋*press*
　　　★原義「ハンコを押す」→「心に印象を残す」。

コラム　**急行列車とエスプレッソ**

express (train)には「急行（列車）」の意味がある。本来は「行き先が**明示された**列車→その駅に早く直行する列車」の意味だったようだ。一方イタリアの濃〜いコーヒー espressoはexpressと同じ語源で，「蒸気圧で**押し出した**コーヒー」の意味だが，急行列車と同じく，普通にいれるより早いというニュアンスもある。

□ **repress**[rɪprés] 動 〜を抑圧する，鎮圧する
　　　源 *re*（うしろに）＋*press*＝「押しもどす」
　　　★来るものを押しもどすイメージだ。
□ **suppress**[səprés] 動 ①〜を鎮圧する　②〈怒りなど〉を抑圧する
　　　源 *sup*（=*sub* 下に）＋*press*＝「押し下げる」
□ **oppress**[əprés] 動 〜を迫害する，苦しめる
　　　源 *op*（=*ob* 対して）＋*press*

prim, prem, princ

第１位の，主要な

これらはすべてラテン語primus「第１位の」が起源。そこから「主要な,最も重要な」の意味に発展する。prince「王子」は「第１位の人」が原義。primrose「サクラソウ」は「一番早く咲くバラ」の意味。

primate

□**primate**[práɪmət] 名 霊長類（＝サル）

　★「第１位のもの」という意味。動物の中で一番賢いので。

◇**primate city**「首位都市」

　★ある国や地方で圧倒的に大きな都市。パリ,東京など。

word family

□**prime**[práɪm] 形 最重要な,最高の

◇**prime minister**「首相」

□**premier**[prɪmíə] 名 首相

□**primary**[práɪmèəri] 形 最重要な,第１の

◇**prima donna**「(オペラの)プリマドンナ」 源 *prima*＋*donna*（女）

　★「うぬぼれた人」という悪い意味もある。

□**primeval**[praɪmíːvl] 形 原始時代の　cf. medieval 中世の　　*medi*→p. 207

□**primitive**[prímətɪv] 形 原始的な

□**principal**[prínsəpl] 形 **主要な** 名 校長

□**principle**[prínsəpl] 名 ①**主義** ②原理

　★principalと発音が同じなのでネイティヴスピーカーもよく混同する。

238

quir(e), quest, quer

求める, 得る

ラテン語quaerere「求める,たずねる」から来た。求めるものを「得る」の意味にもなる。*quest*はその過去分詞。requestでは求める, questionではたずねる, acquireでは得るの意味となっている。*quer*, *quisit*も同じ語源。

require　acquire

- □ **re**quire[rɪkwáɪə] 動 ～を要求する,必要とする
- □ **ac**quire[əkwáɪə] 動 ～を習得する,獲得する
    - 源 *ac*(=*ad* ～を)+*quire*(得る)
- □ **in**quire[ɪnkwáɪə] 動 (～を)質問する=enquire
- □ **in**quiry[ɪnkwáɪəri] 名 ①調査,探求(+into) ②問い合わせ
    - □ **in**quisitive[ɪnkwízətɪv] 形 せんさく好きの
    - □ **in**quisition[ìnkwəzíʃən] 名 尋問,取り調べ
- □ quest[kwést] 名〈幸せ,知識などの〉追求,探求
- □ query[kwíəri] 名 質問,疑問
- □ **con**quer[káŋkə] 動 ～を征服する 名 conquest 征服
- □ **prere**quisite[pri:rékwəzɪt] 名 前提〔必須〕条件 形 必須の
    - 源 *pre*(前もって)+*requisite*(requireの過去分詞=要求される)

radi

根

「根」の意味から「根本的な」の意味に。野菜のラディッシュ（radish）もこれが語源。

☐ **eradicate**[ɪrǽdəkèɪt]

　動 ～を根絶する，根こそぎにする

　　源 *e*（＝*ex* 外に）＋*radi*＝「根こそぎにする」

☐ **radical**[rǽdɪkl] 形 根本的な，徹底した，過激な

　　源 「根の」→「根こそぎの」→「徹底した，過激な」と発展。

radi(o)

車輪, 放射, 放射能

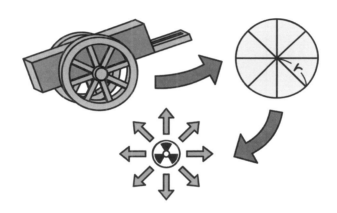

車輪の中心から出ているスポーク〔骨〕の意味を持つradiusが起源。そこから「半径」、また中心から光などが「放射する」イメージへと発展する。現代では放射能に関する単語に多い。数学用語radian「ラジアン,弧度」もradiusが語源。円の面積の公式πr^2などに出てくるrはradius「半径」の頭文字だ。

☐ **radius**[réɪdiəs] 名 半径
☐ **radial**[réɪdiəl] 形 放射状の
☐ **ray**[réɪ] 名 光線,放射線
　　★radiusの変形。
☐ **radium**[réɪdiəm] 名 ラジウム
　　源 *radi*＋*um*（物質）＝「rayを放つ物質」
☐ **radiant**[réɪdiənt] 形 光り輝く,晴れやかな
　　源 *radi*＋*ant*（現在分詞の語尾）＝「(光を)放射する」
　　例 her radiant smile「彼女の輝くような笑顔」

☐ **radio**[réɪdioʊ] 名 ラジオ, 無線機

源 放射される電波のイメージから。

word family

☐ **radiation**[rèɪdiéɪʃən] 名 放射能, 放射

☐ **radioactive**[rèɪdioʊæktɪv] 形 放射性の, 放射能の

☐ **radioisotope**[rèɪdioʊáɪsətòʊp] 名 放射性同位元素(例 ^{14}C)

源 *radio* + *iso* (同じ) + *tope* (場所)

★元素周期表の同じ場所にあるものという意味。

☐ **radiator**[réɪdièɪtɚ] 名 ①ヒーター ②冷却機, ラジエータ

源 「(熱を)放射するもの」

re

後ろ向きに，逆に，再び

returnの*re*。「後ろに，逆方向に，退いて」が本来の意味。そこから発展して again「再び」の意味となり，また「お返し，報酬」あるいはagainstの意味で 「反抗，報復」などを表す語にも多く使われる（なお，againとagainstは同じ 語源）。

● *re*「再び，くり返して」

行きと逆に走れば同じ場所を 2 度通ることになる。ここからrepeat, revolveのような「再び，何度も」の意味が生まれた。日本語の「引き返す」， 「読み返す」が反復を表すのと同じメカニズム。この意味から「再生，革新， 更新」など「やり直し」の意味を持つ語に*re*がつくものが多い。

☐ **remind**[rimáind] 動 (＋A of B) AにBを思い出させる

　　源 *re*＋*mind*（心，気づく）＝「再び気づかせる」

☐ **reminiscent**[rèmənísn̩t] 形 思い出させる (＋of)

　　★remember, recollect, recallなど，「思い出す」系の語はre～が多い。

2

語源編

□ **recover**[rikʌ́vɚ] 動〈損失・健康など〉を取りもどす, 回復する

　　源 *re* + *cover* (得る) = 「取り返す」　★cover「おおう」とは無関係。

□ **recuperate**[rɪk(j)úːpərèɪt] 動〈損失・健康など〉を取りもどす, 回復する

　　源 recoverと同じ。

□ **resilient**[rɪzíljənt] 形 弾性が強い, 立ち直りが早い

　　源 *re* + *sili* (はねる) = 「はね返る」

□ **remedy**[rémədi] 名 ①改善法　②治療法

　　源 *re* + *medy* (治す)　★medicine「医学」と同じ語源。

□ **reproduce**[rìːprəd(j)úːs] 動 〜を複製〔再生, 再現〕する　②〜を繁殖させる
名 reproduction 複製

　　源 *re* + *produce* (作る)

□ **renovation**[rènəvéɪʃən] 名〈建物などの〉改装

　　　★改装はrenewal, reformとは言わない。

　　源 *re* + *nova* (新しい) = 「再び新しくする」　　　　　　　　　*nova*→p. 217

□ **restore**[rɪstɔ́ɚ|rɪstɔ́ː] 動 〜を元にもどす, 復元する(= repair)

　　源 *re* + *store* (立てる) = 「立て直す」　　　　　　　　cf. *sta*→p.256

□ **refurbish**[rìːfɚ́ːbɪʃ] 動〈建物などを〉改装する,

　　源 *re* + *furbish* (みがく)

□ **reconstruct**[rìːkənstrʌ́kt] 動 〜を再建〔復興〕する

　　源 *re* + *construct* (建設する)

◇ **renewable energy** 「再生可能エネルギー」　★風力, 波力, 太陽光など。

□ **reboot**[ríːbuːt] 動〈コンピュータ〉を再起動させる

　　源 *re* + *boot* (起動させる)

　　　　　　reform → p.174　　revival → p.283　　revolution → p.284

□ **remove**[rɪmúːv] 動 〜を取り除く

　　源 *re* + *move* (動かす)

　　★ある場所に動かしたものを再び動かすと取り除くことになる。

□ **replace**[rɪpléɪs] 動 ①(A replace B) AがBに取って代わる,

　　　　　　　　　　　　(replace A with B)　AをBで置きかえる

　　　　　　　　　　②〜を元の場所にもどす

　　源 *re* + *place* (置く) = 「置きなおす」

□ **reiterate**[riːítərèɪt] 動 〜をくり返し言う

restaurantの元の意味は「(元気を)回復させる」でrestoreと同じ語源だ。18世紀フランスで
Boulangerという人が彼の店でrestaurant「元気を回復させるもの」とよばれるスープを売っ
たことから食事を出す店を指すようになった。

● *re* 「逆らって」反抗, 反論, 反撃, 復讐など

□ **revenge**[rɪvéndʒ] 名 復讐(=retaliation, retribution)

　源 *re*＋*venge* (罰する)

□ **retaliate**[rɪtǽlièɪt] 動 報復する

　源 *re*＋*taliate* (徴収する)

□ **retort**[rɪtɔ́ət|rɪtɔ́:t] 動 (怒って)言い返す

　源 *re*＋*tort* (ねじる,回す)＝「(攻撃を)逆に向ける」

□ **refute**[rɪfjúːt] 動 ～の誤りを証明する,否認する

　源 *re*＋*fute* (たたく)

□ **rebut**[rɪbʌ́t] 動 反論する 名 rebuttal 反論

　源 *re*＋*but* (たたく)

□ **resist**[rɪzíst] 動 ～に抵抗する

　源 *re*＋*sist* (立つ)

sist→p.256

□ **rebel** 名 [rébl] 反逆者 動 [rɪbél] 反逆する（＋against）

源 *re*（そむいて）＋*bel*（戦う）

□ **react** [riǽkt] 動 反応する（＋to） 名 reaction 反応, 反作用

源 *re*＋*act*（作用する）

repel → p.224　　reject → p.196　　refuse → p.178

● *re*「返却, お返し」

□ **reimburse** [rìːɪmbə́ːs] 動〈経費・損失〉を払い戻す

源 *re*＋*im*（中に）＋*burse*（＝purse さいふ）

□ **refund** [rɪfʌ́nd] 動〈代金など〉を払い戻す

源 *re*＋*fund*（注ぐ）

□ **reward** [rɪwɔ́əd|rɪwɔ́ːd] 名 報酬, 謝礼

□ **reciprocal** [rɪsíprəkl] 形 ①お返しの　②相互的な

● *re*「後ろに, 退いて」

□ **retire** [rɪtáɪə] 動 引退する, リタイアする

源 *re*＋*tire*（引く）

□ **retreat** [rɪtríːt] 動 退却する, 引退する

源 *re*＋*treat*（＝*tract* 引く）

recede → p.125

rect

まっすぐ

ラテン語regere「まっすぐ線を引く[導く]」から。regularやrule (→p.92),
古くはright (→p.91)も同じ語源だ。

☐ **direct**[dərékt] 形直接の 動～を導く,指示する
   源 *di* (=*dis* 離れて)+*rect* (まっすぐ)=「まっすぐ向かう」

☐ **indirect**[ìndərékt] 形間接的な
   源 *in* (否定)+*direct*

☐ **director**[dəréktər] 名ディレクター,監督

☐ **direction**[dərékʃən] 名①方向 ②指示

☐ **correct**[kərékt] 形正しい,正確な
   動～を修正する
   源「まっすぐな」→「正しい,まっすぐにする」→「直す」
   ★*cor* (=*com*)は強調。　　　　　　　　*com*→p.141

□ **rect**ify [réktəfàɪ] 動 ～を修正する

□ **rect**um [réktəm] 名 直腸

　★ほぼ**まっすぐ**な形をしていることから。

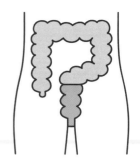

word family

□ **rect**angle [réktæ̀ŋgl] 名 長方形

　源 *rect*＋*angle*（角）→「角が直角の四角形」

□ **e**rect [ɪrékt] 形 直立した 動 ～を建てる,立つ

---

sect, se(g)

切る，分割する

ラテン語secare「切る」から。sex「性別(=男女の区別)」もこれが語源。ギリシャ語の*tom*（→p.267）に相当する。

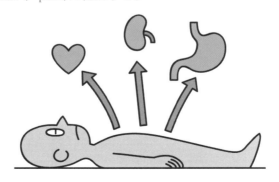

□ **dis**sect [dɪsékt] 動 ～を解剖する

　源 *di*（=*dis* 離して）＋*sect*＝「切り分ける」

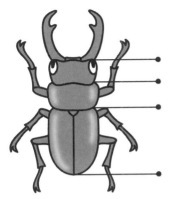

□**section**[sékʃən] 名①部分, (本の)節　②切断面

　□**bisect**[baɪsékt] 動～を二等分する

　　　源 *bi* (2) + *sect*

　□**vivisection**[vìvəsékʃən] 名生体解剖

　　　源 *vivi* (生きた) + *sect*

□**insect**[ínsekt] 名昆虫

　　源 *in* (中, 入る) + *sect* = 「(体に)切れ目が入った生物」

　　★「昆虫学」は**entomology**というが, これも *en* (中)と *tom* (切る)からできているギリシャ語系の単語。

　　　　　　　　　　　　　　　　tom → p.267

□**intersection**[ìntəsékʃən]

名 交差点

　源 *inter* (互いに) + *sect*
　　= 「互いに横切る道」

　　　inter → p.191

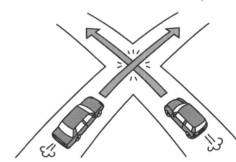

word family

□**cross-section**[krɔ́(:)s-sékʃən]

名横断面

□**sector**[séktə]

　名〈経済・学問などの〉分野

◇**private sector**「民間部門」

□**segment**[ségmənt] 名区分, 部分, (オレンジの中の)袋

　□**segregate**[ségrəgèɪt] 動 ～を分離〔隔離, 差別〕する

2

語
源
編

249

sequ, secut, sui, sue

続く, 追う

ラテン語sequi「ついて行く,追う,従う(=follow)」に由来する。そこから「追求〔追及,追究〕する」,「続く」,さらに「一続き〔一組〕のもの,連続」などに発展。

● 「連続して」

consequence

- [ ] **consequence**[kánsəkwèns] 名 結果
     源 *con*(いっしょに)+*sequ*=「続いて起きること」
- [ ] **sequence**[síːkwəns] 名 連続,順序
- [ ] **sequel**[síːkwəl] 名 続編(+ to),話の続き
- [ ] **subsequent**[sʌ́bsəkwənt] 形 連続した
     源 *sub*(次に)+*seque*
     sub→p.260
- [ ] **consecutive**[kənsékjətɪv] 形 連続の
     源 *con*(いっしょに)+*secut*

□ **suite**[swíːt] 名 ①〈ホテルの〉スイート　②〈家具の〉セット　③組曲

　　源「一続きのもの」の意味。元はsuitと同じ語。

□ **suit**[súːt] 名 スーツ（=「三つ揃い」など，一組の服）

●「追及する」

□ **sue**[súː] 動 ～を告訴する

　　源「（人〔事件〕を）追及する」から。

□ **lawsuit**[láːsùːt] 名 訴訟

□ **prosecute**[prásəkjùːt] 動 ～を起訴する

　　源 *pro*（前に）+ *secut*

□ **pursue**[pəs(j)úː] 動 ～を追跡する，追求する　名 pursuit 追跡

　　源 *pur*（=*pro* 前へ）+ *sue*=「追って進む」

□ **sect**[sékt] 名〈宗教などの〉分派

　　源 *sequ*の変形。「（ある教えに）従う者たち」の意味。

2

語

源

編

コラム　ミニスカートとシャツ

shirt「シャツ」の祖先は古英語のscyrteで，skirt「スカート」の祖先は古ノルド語〔むかしの
ノルウェー語〕のskyrta（女性用のシャツ）。どちらも「短い服」が原義で，shortと同じ起源を
持つ。それを意識するとlong skirtは矛盾しているのかも。

sl

すべる, なめらか, ぬるぬる, だらしない

sl で始まる語にはいくつかの擬音的ニュアンスがある。まず slip や slide などのつるっとすべるイメージの他, ぬるぬるする感じや, のろくだらけたニュアンスを表す語が多い。

☐ **slip**[slíp]
　 動 すべって転ぶ, すりぬける,
　　 さっと着用する(+on)
☐ **slide**[sláɪd]
　 動 すべって進む, 滑走する,
　　 スライドする
☐ **slope**[slóʊp]
　 名 (すべりそうな)坂, スロープ

☐ **sleeve**[slíːv] 名 そで

　　 源 「すべる」が原義。腕をスルッと入れるから。

☐ **sleigh**[sléɪ] 名 そり (=sled, sledge)

☐ **sleek**[slíːk] 形 ①なめらかな, つややかな　②しゃれた

☐ **slick**[slík] 形 ①口がうまい　②手早い　③つるっとした

☐ **slouch**[sláʊtʃ] 動 前かがみでだらける

☐ **slacker**[slǽkɚ] 名 なまけ者, ぐうたら

☐ **sloth**[slɔ́ːθ] 名 ナマケモノ

　　 ★原義は「おそい(slow)もの」

☐ **sluggish**[slʌ́gɪʃ] 形 のろい, だらけた

　　 ★slug は「ナメクジ」。

☐ **slime**[sláɪm] 名 スライム, ぬるぬる

252

sn

鼻

鼻に関係がある単語にはsnがつくものが多い。noseにも日本語の「鼻(hana)」にも[n]が入っている。[n]は鼻腔でひびく音＝「鼻音」だからこれも一種の擬音かも。[s]は鼻息の擬音かもしれない。

sniff　sneeze

☐ **sniff**[sníf] 動 くんくんかぐ（＋at）

☐ **snuff** [snʌ́f] 動 くんくんかぐ，〈香りなど〉を吸う 名 かぎタバコ

☐ **snuffle** [snʌ́fl] 動 （かぜで）鼻をグズグズ鳴らす，すすり泣く

☐ **sneeze**[sníːz] 動 くしゃみする

☐ **snore**[snɔ́ɚ|snɔ́ː] 動 いびきをかく

☐ **sneer**[sníɚ] 動 鼻で笑う，嘲笑する

☐ **snarl**[snáɚl|snáːl] 動 （犬など）歯をむいてうなる

☐ **snort**[snɔ́ɚt|snɔ́ːt] 動 鼻を鳴らす（軽蔑・怒りなどで）

☐ **snivel**[snívl] 動 すすり泣く，泣き言をいう

☐ **snot**[snát] 名 鼻汁　★下品な言葉。

☐ **snout**[snáʊt] 名 〈ブタなどの〉鼻

spect, spic, spis

見る

ラテン語spectare「見る」から来たもの。視覚的な意味から発展して**期待**や**予想**（＝未来を見ること）など比喩的な意味の語も生み出す。日本語の「のぞむ」が「ながめる」の意味から希望の意味に発展したのとよく似ている。spy「スパイ」もこれの変形で「見つける人」の意味。

expect

□ **expect**[ɪkspékt]

動 ～を予期する，期待する

源 *ex*（外）＋（s）*pect* ★何かが来るのではと外を見ているイメージ。

□ **expectant**[ɪkspéktn̩t]

形 ①期待している ②妊娠している

★②は「子供が生まれるのを予期している」の意味。

□ **inspect**[ɪnspékt] 動 ～を検査する

源 *in*（中を）＋*spect*

□ **inspector**[ɪnspéktɚ] 名 ①調査官 ②警視正

★警部より上の階級。

□ **introspection**[ìntrəspékʃən]

名 内省

源 *intro*（内側）＋*spect*

★自分を深く省みること。

inspect

□ **prospect**[práspekt]

名 見込み, 見通し, 可能性

源 *pro*(前=未来)+*spect*

□ **speculate**[spékjəlèɪt]

動 ①憶測する, 推量する　②投機する

源「よく観察する」が原義。

word family

□ **species**[spíːʃi(ː)z] 名 種(しゅ)

源「見かけ, 特徴」→「同じ特徴を持つ生物」

□ **specific**[spɪsífɪk] 形 明確な, 具体的な

源「特徴がはっきりした」の意味。

□ **special**[spéʃl] 形 特別な

源「特徴的な, 目立つ」が原義。

□ **specimen**[spésəmən] 名 見本, 標本

源「(種の)特徴がはっきりしたもの」

word family

□ **spy**[spáɪ] 名 スパイ 動 見張る, 探る

□ **aspect**[ǽspekt] 名 ①〈事象の〉側面, 視点　②外観

源 *a*(=*ad* 対して)+*spect*=「物の見方, 見え方」

□ **respect**[rɪspékt] 名 ①敬意　②〈物事の〉点, 側面 動 ～を敬う

源 *re*(=back, again)+*spect*=「顧みる, 見なおす」

□ **spectator**[spékteɪtə] 名 観客, 見物人

□ **spectacle**[spéktəkl] 名 ①(spectacles)めがね　②印象的な光景, 見もの

□ **despise**[dɪspáɪz] 動 ～を軽蔑する, 嫌悪する 形 despicable 軽蔑すべき

源 *de*(下に)+*spise*=「見下す」

★look down on Aは単に「Aを見下す」だがdespiseは軽蔑や嫌悪の意味が強い。

□ **spectrum**[spéktrəm] 名 ①スペクトル　②多様性(=variety)

源「見えるもの, 幽霊」が原義。

□ **specter**[spéktə] 名 幽霊

2

語
源
編

255

sta, sist, stitute

立つ, 立てる, とどまる

ラテン語stare「立っている」の*sta*から。stand, stayの語源もこれ。「立場, 状態, 安定, 持続」などに関係するたくさんの語を生み出す。*sist*も「立つ」の意味, *stitute*は「立てる, 置く」が基本義。

● *sta*

☐ **stable**[stéɪbl] 形 安定している, 一定不変の
　　源 *sta*+*able*（可能）＝「立っていられる」
☐ **stability**[stəbíləti] 名 安定
☐ **stabilize**[stéɪbəlàɪz] 動 〜を安定させる
☐ **establish**[ɪstǽblɪʃ]
　　動 〜を設立する, 確立する
　　　源「stableにする, 立てる」の意味。
☐ **stationary**[stéɪʃənèri]
　　形 止まった, 変化しない
☐ **homeostasis**[hòʊmiəstéɪsɪs]
　　名 ホメオスタシス, 恒常性
　　　源 *homeo*（同じ）+*stasis*（静止）

- [ ] **status** [stéɪtəs] 名 社会的地位, 状態

  源「立場」の意味。

- [ ] **stature** [stǽtʃɚ] 名 身長　★身長は立って計る。

- [ ] **statue** [stǽtʃuː] 名 立像

  ◇ **the Statue of Liberty**「自由の女神」

- [ ] **state** [stéɪt] 名 ①状態　②国家

  源「立ち場, あり方」の意味。statusの変形。

  ◇ **state-of-the-art**「〈技術が〉最先端の」

  源「the (今の) art (技術) の状態」が原義。

- [ ] **static** [stǽtɪk] 形 静的な, 動かない

  ★state 名 ①の形容詞　⇔dynamic

- [ ] **stance** [stǽns] 名 態度, 意見, 〈スポーツの〉構え

  源「立ち方」の意味。

- [ ] **distance** [dístəns] 名 (〜からの) 距離

  動 〜を (…から) 遠ざける

  ◇ **social-distancing**

  「社会的距離を保つこと」

- [ ] **substance** [sʌ́bstəns] 名 物質

  源 *sub* (下) + *stance* =

  「万物の下にある (＝潜在する) 物」

- [ ] **stage** [stéɪdʒ] 名 ①舞台　②段階

  源「(役者が) 立つ場所」が原義。

- [ ] **reinstate** [rìːɪnstéɪt] 動 〈職などに〉〜を復帰させる, 〜を元にもどす

  源 *re* (再び) + *in* (中に) + *state* (立てる)

- [ ] **estate** [ɪstéɪt] 名 ①(ある人の) 全資産, ②土地

  ★stateの変形

  源「(人が置かれた) 状態」→「財産」

● *sist*

□ **assist** [əsíst] 動 〜を助ける

　　源 *as* (=*ad* そばに)＋*sist* (立つ)

　　　　cf. stand by A 「Aを助ける」と同じイメージ。

□ **resist** [rɪzíst] 動 〜に抵抗する，反抗する

　　源 *re* (=back 逆に，逆らって)＋*sist*　　*re*→p.243

　　　　cf. fight back 「抵抗する」

□ **insist** [ɪnsíst] 動 (＋on A) Aを強く要求〔主張〕する，言い張る

　　源 *in* (=on)＋*sist*＝「論点に立ち続ける」

□ **persist** [pəsíst] 動 (＋in A) Aをしつこく続ける，続く

　　源 *per* (ずっと)＋*sist*＝「立ち続ける」

□ **consist** [kənsíst] 動 (＋of A) Aから構成される

　　源 *con* (いっしょに)＋*sist* (ある)

● *stitute* 「立てる，置く」

□ **constitute** [kánstət(j)ù:t] 動 〜を構成する

　　源 *con* (いっしょに)＋*stitute* (置く)

　　　★composeと同じ成り立ち。　→p.229

□ **prostitute** [prástɪt(j)ù:t] 名 売春婦

　　源 *pro* (前)＋*stitute* (立たせる)＝「人前で売り物にする」

◇ **substitute A for B** 「AをBの代わりにする」

◇ **A substitute for B** 「AがBの代わりになる」

　　源 *sub* (代わりに)＋*stitute* (置く)　　*sub*→p.260

□ **institution** [ìnstɪt(j)ú:ʃən] 名 組織，機関 動 institute 〈制度など〉を設ける

　　源「立てられたもの」の意味。

resist

コラム　パキスタンの意味

中央アジアの地名にはパキスタン(Paki**stan**)，アフガニスタン(Afghani**stan**)，カザフスタン(Kazakh**stan**)など，「スタン(stan)」がつくものが多いのに気づいたことはないだろうか。これらの*stan*は「場所，地」を表し，その語源は*sta*「立っている，ある」なのだ。

str

締めつける

ラテン語stringere「きつくしばる」から。比喩的に発展して「制限する, きびしい」や「緊張, ストレス」系の語を生み出す。日本語の「締めつけが厳しい」「取り締まり」という表現に似たイメージ。

□ **strict** [stríkt] 形（規則など）きびしい, 厳格な
★「締めつけられた」がもとの意味。

□ **stringent** [stríndʒənt]
形（規則など）非常に厳しい

□ **astringent** [əstríndʒənt]
形 ①（皮膚を）引きしめる ②辛らつな

□ **distress** [dɪstrés] 名 ①苦悩, 貧困 ②遭難
源 *dis*（強意）＋*stress*（strictの変形）
★stressはこの語から*dis*が取れてできた。

word family

□ **strangle** [strǽŋgl] 動 ～を締め殺す

□ **restrict** [rɪstríkt] 動 ～を制限する 名抑制

□ **constrict** [kənstríkt] 動 ～を締めつける, 締めあげる
★boa constrictorは獲物を締め殺すヘビの名。

□ **strain** [stréɪn] 名 重圧, 緊張 動 ～に重圧をかける, ～を強く引っぱる

□ **constrain** [kənstréɪn] 動 ～を強制する, 束縛する
源 *con*（いっしょに）＋*strain*（しばる）→「束縛する」

□ **restrain** [rɪstréɪn] 動 ～を抑制する

□ **stricture** [stríktʃə] 名 酷評, 非難

sub

下，次，続いて，代わって

*sub*は「下(under)」の意味。そこから「次の，近い」の意味に発展する(部長の下の課長は部長の次にえらい)。また「支配されて，従属して，補助して」にも広がる(課長は部長の支配下にある)。また下の者は上の「代理」になる。さらに「下の単位」の意味で「分割」の意味も生まれる。あとにくる音により，*su*, *suc*, *suf*, *sug*, *sum*, *sup*などに変わる。

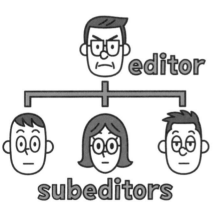

□ **subeditor**[sʌ́bédətə] 名 編集補佐

□ **subcontractor**[sʌ̀bkántræktə]
　名 下請け業者
　　源 *sub*+*contractor*(契約者)
　　　　　　　　　　　　contract→p.268

□ **subordinate**[səbɔ́ədənət]
　形 従属的な，下位の
　　源 *sub*+*ordinate*(置かれた)

□ **subset**[sʌ́bsèt]
　名 部分集合(数学用語)

□ **subgroup**[sʌ́bgrù:p]
　名 下位集団(集団内の小集団)

　　★subclass「下位分類」，subcategory「下位範疇」も類語。

word family

☐ s u b **urbs**[sʌ́bɚːb] 名 郊外

　　源 *sub*（近い）＋*urb*（都市）　cf. urban 形 都市の

☐ s u b **tropical**[sʌbtrɑ́pɪkl] 形 亜熱帯の

　　源 *sub*（近い）＋*tropical*（熱帯の）

☐ s u b **conscious**[sʌbkɑ́nʃəs] 形 潜在意識の

☐ s u b **merge**[səbmɚ́ːdʒ] 動 ～を水に沈める，潜水する

　　源 *sub*＋*merge*（突っこむ）

☐ s u b **atomic**[sʌ̀bətɑ́mɪk] 形 原子より小さい

☐ s u b **due**[səbd(j)úː] 動 ～を鎮圧する，〈感情〉を抑制する

☐ s u b **side**[səbsáɪd] 動 ①静まる　②陥没する

　　源 *sub*＋*side*（座る）＝sit down

☐ s u b **scribe**[səbskráɪb] 動 ①～を定期購読する，予約する　②（～を）寄付する

　　源 *sub*＋*scribe*（書く）

　　★「契約書の下の欄にサインする」が原義。

☐ s u b **human**[sʌbhjúːmən] 形 ①人間より劣る　②（環境など）人に適さない

☐ s u b **zero**[səbzíɚrou] 形 氷点下の

☐ s u b **marine**[sʌ́bmərìːn] 名 潜水艦

　　源 *sub*＋*marine*（海）

☐ s u b **culture**[sʌ́bkʌ̀ltʃɚ] 名 サブカルチャー，下位文化

　　★少数派の文化（集団）。

　　sustain→p.262，subterranean→p.266，subliminal→p.200，subject→p.97，

　　succeed→p.126，suppress→p.237

2

語
源
編

コラム　**地 下 鉄 と 地 下 道**

ぼくが初めてイギリスに行ったとき，地下鉄に乗ろうとしてSUBWAYと書いてある入口から地下に降りて行ったら，すぐまた地上に出てしまって「あれれ？」となった。イギリスではsubwayは地下横断歩道（＝アメリカのunderpass）の意味で，地下鉄はundergroundまたはtubeと呼ばれることをのちに知った。

tain, ten

保つ, 保持する, 支える (hold)

ラテン語tenere「保持する」に由来する。「つかむ, 保持する(hold)」や「保つ, 続ける(keep)」などの意味を表す。

□ **sustain**[səstéɪn] 動 ～を持続させる, 支える

　　源 *sus*（下）＋*tain*＝「下から支える」

□ **sustainable**[səstéɪnəbl] 形（環境を破壊しないで）持続可能な

◇ **Sustainable Development Goals**「持続可能な開発目標」

　　★略してSDGsと呼ばれる。

□ **maintain**[meɪntéɪn] 動 ①～を維持する, 手入れする　②主張する

　　源 *main*（手）＋*tain*＝「手で支える」　　*main*→p.205

□ **maintenance**[méɪntənəns] 名 維持, 保存, 整備

maintain

word family

contain

- [ ] **contain** [kəntéɪn]
  - 動 ① (A contain B) AにBがはいっている
    - ② 〈感情〉を抑える, 〈伝染病・災害など〉を抑制する
    - 源 con (共に) + tain
      =「(中身を)容器と共に保つ」
- [ ] **content** [kántent] 名 中身, 内容, 本の目次
- [ ] **content** [kəntént] 形 満足した (=contented)
  - 源 contain の変化。「心がいっぱい」という意味。
- [ ] **abstain** [æbstéɪn] 動 避ける, 控える (+from)
  - 源 abs (離れて) + tain =「離れた状態を保つ」
- [ ] **retain** [rɪtéɪn] 動 〈力〉を保持する, 〈記憶など〉を保つ
  - 源 re (=back) + tain =〈変化を〉押しもどし続ける
- [ ] **detain** [dɪtéɪn] 動 〈人〉を勾留〔監禁〕する, 引き留める
  - 源 de (離して) + tain
- [ ] **obtain** [əbtéɪn] 動 〈情報など〉を (努力して) 手に入れる
- [ ] **tenant** [ténənt] 名 〈部屋など〉を借りている人, 保有者
- [ ] **tenable** [ténəbl] 形 ① 〈説などが〉批判に耐えうる
  - ② 〈役職など〉をある期間保持できる
  - 源 ten + able (できる) =「保持できる」
- [ ] **tenure** [ténjə] 名 保有権, (教員の) 終身在職権
- [ ] **tenacious** [tənéɪʃəs] 形 粘り強い, しつこい
  - ★「つかんで離さない」イメージ。
- [ ] **tenet** [ténət] 名 主義, 根本的教義
  - 源 「〈人が〉保持する考え」の意味
- [ ] **continue** [kəntínjuː] 動 (〜を) 続ける
  - 源 con (共に) + tinue (tain の変形) =「(とぎれぬよう)保つ」→「続ける」
- [ ] **continent** [kántənənt] 名 大陸
  - 源 「(ずっと)続く大地」が原義。continue と同源。　entertain→p.54

2

語源編

tend, tens

のばす，張る，向かう

「のばす，のびる」から「ピンと張る」，さらに「向かう」に発展する。tent「テント」もこれが語源で「張るもの」の意味。tension「緊張」もピンと張りつめた状態だ。

◇**tend to V** 「Vする傾向がある」

源 「V（行為）のほうにのびる，向かう」→「Vしがちだ」

□**contend**[kənténd] 動争う，競う，論争する

源 *con*（いっしょに）＋*tend*＝「引っぱり合う」

★「争う」系の単語はcombat, conflict, contest, competeのように*com, con*がつくものが多い。

com→p.141

264

□ **extend** [ɪksténd] 動 〜をのばす,拡張する 名 extension 拡張

　源 *ex* (外に) + *tend*

　例 These habits can extend life. 「これらの習慣で寿命をのばせる」

―――――― word family ――――――

□ **attend** [əténd] 動 ①〜に出席する,行く　②注意する(+to)

　源 *at* (= *ad* 対して) + *tend* → ①「(場所に)向かう」　②「注意を向ける」

□ **intend** [ɪnténd] 動 意図する,(+to V) Vするつもりだ

　源 *in* (中に) + *tend* → 「手をつっこんで取ろうとする」が原義。

□ **tense** [téns] 形 〈ロープなど〉ピンと張った,〈状況など〉緊張した

□ **intense** [ɪnténs] 形 〈熱,欲望,痛みなどが〉強烈な

□ **intensive** [ɪnténsɪv] 形 〈治療,訓練,研究など〉集中的な,激しい

□ **tendon** [téndən] 名 腱(けん)

　例 Achilles tendon 「アキレス腱」

　源 「引っ張られるもの」が原義。

2

語
源
編

terr(a)

地球, 土地

ラテン語terra「土,土地,地球」から。terra-cotta「テラコッタ」はterra(土)＋cotta(焼かれた)で素焼きの陶器。terrarossa「テラロッサ」はイタリア語で「赤い土」。terraforming「テラフォーミング」は惑星を地球のような住める環境に作り変えること。

subterranean

□ **subterranean**[sÀbtəréɪniən] 形 地下の(underground)

源 *sub*(下)＋*terranean*(地面の)　　　　　　　　　　　　　*sub*→p.260

□ **terrestrial**[təréstriəl] 形 ①(生物が)陸生の　②地(球)上の

□ **extraterrestrial**[èkstrətəréstriəl] 形 地球外の,宇宙の 名 宇宙人(=ET)

源 *extra*(外)＋*terrestrial*　　　　　　　　　　　　　　　*extra*→p.163

□ **terrain**[təréɪn] 名 地形,地帯

□ **territory**[térətɔ̀ːri] 名 領土,なわばり

□ **terrarium**[təréəriəm] 名 テラリウム(陸上動物を飼うガラス箱)

Mediterranean→p.208

tom

切る，分割する

sequ (→p.250) と同じ意味だが，*tom*はギリシャ語から来た。CTスキャンのCTとはcomputerized tomography「コンピュータ断層撮影」の略で，tomographyは*tom* (切る)＋*graphy* (記録)からできている。

□ **atom**[ǽtəm] 名 原子

源 *a* (否定)＋*tom*＝
「(それ以上)分割できない」

★a-はギリシャ語の否定接頭語。

cf. asymmetry 名 非対称　apathy→p.219

□ **dichotomy**[daɪkútəmi] 名 二分法，対立

源 *dicho* (2)＋*tomy*

□ **anatomy**[ənǽtəmi]

名 ①解剖学　②体の構造

源 *ana* (完全に)＋*tomy*＝「ばらばらに切る」

2

語
源
編

---

word family

- *(ec) tomy*は「〜切除，切開」で，医学用語として重要だ。*ec* は *ex* (=out)の意味。

□ **hysterectomy**[hìstəréktəmi] 名 子宮切除

源 *hyster* (子宮)＋*ectomy*

□ **mastectomy**[mæstéktəmi] 名 乳房切除

源 *master* (乳房)＋*ectomy*

entomology→p.249

tract

引っぱる

ラテン語trahere「引っぱる」が起源。tractor「トラクター」は「けん引車」。

□ **attract** [ətrǽkt]
　動 ～を引きつける, 魅了する
　　源 *at* (=ad ～へ) + *tract*
□ **traction** [trǽkʃən]
　名 ①けん引(力)　②勢い, 好評
　　例 gain traction
　　「勢いが増す, 人気に火がつく」
　　★タイヤが地面に食い込んで、グッと
　　　けん引力を増すイメージだ。

□ **contract** [kəntrǽkt] 動 ①契約する　②〈単語と単語を〉結合して短縮する
　名 [kántrækt] 契約　源 *con* (ともに) + *tract* =「引き合う」　　　　　*com*→p.141
　★①も②もふたつのものが引っぱり合ってまとまるというイメージ。

☐ **abstract**[ǽbstrækt] 形 抽象的な

源 *abs*（離して）＋*tract*

＝「対象から一部の性質を引き離した」

★現実の女性（左）から特徴だけを**引き出した**

のが右の抽象的記号。「抽」の字の意味も

「引く」。

abstract

☐ **retract**[rɪtrǽkt] 動 ～を引っ込める,〈発言〉を撤回する

源 *re*（うしろに）＋*tract*

word family

☐ **distract**[dɪstrǽkt] 動〈注意〉をそらす,

例 distract attention from the scandal 「スキャンダルから注意をそらす」

源 *dis*（離して）＋*tract*＝「引き離す」

☐ **subtract**[səbtrǽkt] 動〈数〉を引く

例 subtract 3 from 10 「10 － 3」

源 *sub*（分けて）＋*tract*

sub→p. 260

☐ **extract**[ɪkstrǽkt] 動 ①～を引っぱり出す,抽出する ②～を引用する

名 ①抜き出した部分,抜粋 ②エキス,抽出物

源 *ex*（外へ）＋*tract*

2

語

源

編

trans, tra

移って，超えて

*trans*は移動・超越を表す接頭語。over, through, across, に対応する「移って，越えて，通して，横切って，反対側に」の意味，さらには抽象化して「変化」の意味も表す。*tra*は*trans*の変形。

□**transplant**[trænsplǽnt]
動名〈臓器〉を移植する，移植，～を植え替える
　　源 *trans*（移して）＋*plant*（植える）
◇**organ transplant**「臓器移植」

□**transfer**[trænsfə́ː] 動①乗り換える　②転任する［させる］
　　源 *trans*＋*fer*（運ぶ，動く）

□ trance[trǽns|trάːns] 名 恍惚, うっとり, トランス

　　源 transの変形。意識が別の世界に行ってしまったイメージ。

$$\text{word family}$$

□ trans**port**動[trænspóət] 〜を輸送する 名[trǽnspɔət] 輸送(機関)

　　源 *trans*+*port* (運ぶ)

□ trans**late**[trænslért] 動〜を翻訳する(+into)

　　源 *trans*+*late* (運ぶ)

□ trans**it**[trǽnsət] 名①(米)輸送機関　②乗換え

　　源 *trans*+*it* (行く)

□ trans**ition**[trænzíʃən] 名 移り変わり, 過渡期

　　★transitと同源。

□ trans**ient**[trǽnʃənt] 形 つかの間の, 一時的な

　　源 *trans*+*ient* (行く)

　　★transitと同源。

□ trans**cend**[trænsénd] 動〈限界など〉を超える, 超越する

　　源 *trans*+*cend* (上がる)　cf. ascemd 動 上がる

□ trans**parent**[trænspǽərənt] 形 透明な

　　源 *trans* (通して)+*parent* (=appear)=「透けて見える」

□ trans**gender**[trænsdʒéndə] 形 トランスジェンダーの

　　★「社会で割り当てられた性別を超えた〔逆の〕性意識を持つ」という意味。

　　源 *trans* (超えて, 反対の)+*gender* (性別)　gender→p.180

□ trans**sexual**[trænssékʃuəl] 形 身体的性別と違う性意識を持つ

　　源 *trans* (反対の)+*sexual*

□ trans**vestite**[trænsvéstaɪt] 名 異性の服装をする人

　　源 *trans* (反対の)+*vestite* (服を着る)

　　★vest「チョッキ」と同源。

2

語
源
編

271

□ **betray**[bɪtréɪ] 動 ～を裏切る

　源「向こう(=敵)側に売り渡す」が原義。

□ **traitor**[tréɪtə] 名 反逆者

　源「売り渡す者」が原義。

□ **treason**[tríːzn] 名 (国への)反逆

　源 *trea*＝*tra*の変形。「売り渡すこと」が原義。

□ **transcript**[trǽnskrɪpt] 名 (発言を)書き写したもの

　源 *trans* (移して)＋*script* (書いたもの)

□ **traverse**[trəvə́ːs] 動 (～を)横切る,越える

　源 *tra*＋*verse* (向かう)　　　　　　　　　　　　　*vers*→p.280

　　transmit → p.212，transfusion → p.178，transform → p.174,
　　trajectory → p.196

コラム　ド ラ キ ュ ラ と シ ル バ ニ ア フ ァ ミ リ ー

吸血鬼ドラキュラの故郷として有名な,ルーマニアのトランシルヴァニア(**Trans**ylvania)は,
trans (向こう)＋*sylva* (森)＋*nia* (国)＝「森の**向こうの**国」という意味だ。ちなみにシルバニア
ファミリーズ(Sylvanian Families)は「森(*sylva*)の国の家族」の意味。また女性の名前Sylviaや
Silviaも「森の妖精」という意味だ。

272

tri

3

*tri*は英語のthree, フランス語のtroisの語源で,「3」を意味する。trio「トリオ」, triple「トリプル」などの語源もこれ。ポセイドンが持つ三つ又の槍tridentは*tri*(3)+*dent*(歯)でできている。

triceratops

☐ **tri**c**eratops**[traɪséərətàps]
　名 トリケラトプス
　　源 *tri*(3)+*cerat*(つの)+*ops*(顔)
　　★中国語では「三角竜」
　　　cf. keratin「ケラチン」は角質。

☐ **tri**angle[tráɪæŋgl] 名 三角形
　　源 *tri*+*angle*(角)

☐ **tri**gonometry[trìgənámətri] 名 三角関数
　　源 *tri*+*gon*(角)+*metry*(計測)

☐ **tri**athlon[traɪǽθlɑn] 名 トライアスロン, 3種競技
　　源 *tri*+*athlon*(競技)
　　★biathlon「バイアスロン」は2種競技, decathlonは10種競技。なおathleteはathlonをする人の意味。

☐ **tri**cycle[tráɪsɪkl] 名 三輪車　cf. bicycle 二輪車, monocycle 一輪車
　　源 *tri*+*cycle*(輪)

☐ **tri**ad[tráɪæd] 名 三つ組, 3人組, 三和音

☐ **tri**nity[trínəti] 名 三位一体

☐ **tri**logy[trílədʒi] 名 三部作　源 *tri*+*logy*(物語)

☐ **tri**color[tráɪkʌlə] 形 3色の　名 (フランスの)三色旗

☐ **tri**lobite[tráɪləbàɪt] 名 三葉虫　源 *tri*+*lob*(=*lobe* ふくらみ, 葉)

☐ **Tri**poli[trípəli] 名 トリポリ(リビアの首都)
　　源 *tri*+*poli*(=*polis* 都市)　★3つの都市で構成されていたから。

2

語源編

273

数を表す語根

数	ラテン語系	例	ギリシャ語系	例
1	*uni, sim*	uniform, similar	*mono*	monotone, monopoly
2	*du, dou, bi, bis*	duet, double, bicycle	*di*	dioxide, dichotomy
3	*tri*	trio, triple, triangle	*tri*	trilogy
4	*quadr, quart*	quadruple, quarter	*tetra*	tetrapod
5	*quint, quin(que)*	quintet	*penta*	pentagon
6	*sex*	sextet	*hexa*	hexagon
10	*deci*	decimal,	*deca*	decade, decathlon
100	*centi*	centipede, centigrade	*hecto*	hectopascal
1000	*milli*	millennium	*kilo*	kilogram

コラム **検疫と40**

新型コロナウィルスが流行したとき英語のニュースに激増した単語quarantine「検疫, 隔離」。その語源はquaranta、イタリア語で「40」という意味だ。病気が流行している国から来た船の乗員が感染していないことを確認するのに, 港の外に40日間(quaranta giorni)隔離したことに由来する。14世紀のヴェニスで最初に行われた。

---

turb

かき乱す, 回転する

*turb*は「かき回す, かき乱す」の意味から「渦巻く, ぐるぐる回る」イメージにつながる。turbine「タービン」もturbo (=turbocharger)「ターボ」もぐるぐる回転する装置だ。

□ **disturb**[dɪstə́:b]

動 ～をかき乱す, 混乱させる, じゃまする

源 *dis* (完全に) + *turb*

★ ホテルのドアにかけるプレートにDO NOT
DISTURB「起こさないでください」とある。

□ **perturbation**[pə̀tə́:béɪʃən]

名 ①不安, 動揺　②変動

源 *per* (すっかり) + *turb*

□ **turbid**[tə́:bɪd] 形〈水などが〉濁った

源「かき乱された」が原義。troubleも同源。

□ **turbine**[tə́:baɪn] 名 羽根車, タービン

源「ぐるぐるまわるもの」が原義。

□ **turbocharger**[tə́:boutʃɑ̀ədʒə]

名 ターボチャージャー

★排気でturbineを回しエンジンに空気を
送り込む装置。　charge→p.37

源 *turbine* + *charge* (押し込む)

2

語

源

編

□ **turbulence**[tə́:bjələns] 名 ①乱気流　②社会の混乱, 騒ぎ

★"There is turbulence ahead." 「前方に乱気流があります」は機内放送でよく耳にする。

vac, va, void

からっぽの

仕事がはいってない「空き」の日がvacation。「からっぽ」の空間が vacuum「真空」。

☐ **vacant**[véɪkənt] 形 空きの, 空席の
★ emptyは物理的にからっぽを意味するが, vacantは「使用・占有されていない」の意味。部屋が一時的にemptyでもだれかが居住・予約していればvacantではない。

word family

☐ **evacuate**[ɪvǽkjuèɪt] 動 ～を避難させる〔する〕,〈場所〉から人を避難させる
源 e (=ex 外に)+vac=「場所から人を追い出し空にする」

☐ **vacuum**[vǽkjuːm] 名 真空, 空白

◇ **vacuum cleaner**「掃除機」 ★内部を真空にしてゴミを吸う。

☐ **vanish**[vǽnɪʃ] 動 消滅する

☐ **vacate**[véɪkeɪt] 動 ～を明け渡す, 空にする

☐ **vain**[véɪn] 形 ①むだな ②虚栄心が強い 名 vanity ①うぬぼれ ②むなしさ
源「価値が無いこと, 中身を伴わないプライド」という意味。

☐ **void**[vɔ́ɪd] 名 空虚 形 欠けた, からっぽの(=empty)

☐ **devoid**[dɪvɔ́ɪd] 形 (+of ～) ～を欠いている
源 de (離して)+void=「取り去られた」

☐ **devastate**[dévəstèɪt] 動 〈土地など〉を荒廃させる, 破壊する
形 devastated ①ひどくショックを受けた ②荒廃した
源 de (完全に)+vast (=va 空の, 荒れた)=「すべて消し去る」

vari

変化する, 異なる

variare「変化する, 異なる」から。バラエティ (variety), バリエーション (variation)でおなじみ。

variety

☐ **vary**[véəri] 動 (さまざまに)変化する, 異なる

☐ **varied**[véərɪd] 形 さまざまな

☐ **various**[véərɪəs] 形 さまざまな

☐ **variety**[vəráɪəti] 名 ①多様性 ②変種

　◇**a variety of A**「さまざまなA」

☐ **variation**[vèəriéɪʃən] 名 ①変動 ②変種 ③変奏曲

　☐ **variegated**[véərɪəgèɪtɪd] 形 ①(植物)まだらの, ふ入りの ②多様な要素からなる

　☐ **variance**[véərɪəns] 名 ①意見の違い ②差, 変化量

　☐ **variant**[véərɪənt] 名 (普通と)異なるもの, 変形

☐ **variable**[véərɪəbl] 形 変わりやすい, 可変の 名 変数

☐ **invariably**[ɪnvéərɪəbli] 副 いつも (always), 変わらず

vent, ven

来る

ラテン語venire「来る」から。eventは *e* (=*ex* 外へ)＋*vent* (来る)＝「出て来ること」という成り立ちで,日本語の「出来事」とまったく同じイメージ。

intervene

☐ **intervene**[ìntəvíːn]
　動 介入〔干渉,仲裁〕する,(話に)割り込む
　　源 *inter* (間に)＋*vene*　　*inter*→p.191
☐ **intervention**[ìntəvénʃən]
　名 介入〔干渉,仲裁〕

☐ **prevent**[prɪvént] 動 ～を妨げる,予防する
　　源 *pre* (前に)＋*vent*　★ **前に来て**通せんぼするイメージ。　　　*pre*→p.232
☐ **prevention**[prɪvénʃən] 名 予防(法),妨害

prevent

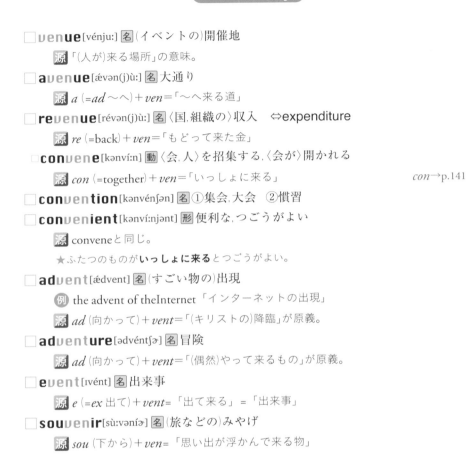

□ **venue** [vénjuː] 名 (イベントの)開催地

　源 「(人が)来る場所」の意味。

□ **avenue** [ǽvən(j)ùː] 名 大通り

　　源 *a* (=*ad* 〜へ) + *ven* = 「〜へ来る道」

□ **revenue** [révən(j)ùː] 名 〈国, 組織の〉収入　⇔expenditure

　　源 *re* (=back) + *ven* = 「もどって来た金」

□ **convene** [kənvíːn] 動 〈会, 人〉を招集する, 〈会が〉開かれる

　　源 *con* (=together) + *ven* = 「いっしょに来る」　　　　　　*con*→p.141

□ **convention** [kənvénʃən] 名 ①集会, 大会　②慣習

□ **convenient** [kənvíːnjənt] 形 便利な, つごうがよい

　源 convene と同じ。

　★ ふたつのものが**いっしょに来る**とつごうがよい。

□ **advent** [ǽdvent] 名 (すごい物の)出現

　　例 the advent of the Internet 「インターネットの出現」

　　源 *ad* (向かって) + *vent* = 「(キリストの)降臨」が原義。

□ **adventure** [ədvéntʃə] 名 冒険

　　源 *ad* (向かって) + *vent* = 「(偶然)やって来るもの」が原義。

□ **event** [ɪvént] 名 出来事

　　源 *e* (=*ex* 出て) + *vent* = 「出て来る」 = 「出来事」

□ **souvenir** [sùːvəníə] 名 (旅などの)みやげ

　　源 *sou* (下から) + *ven* = 「思い出が浮かんで来る物」

　　　circumvent→p.136

vers, vert

向きを変える, 回る (turn)

turnと同じく,「方向転換する」の意味から「道をそれる」,「回転」,「変化」に
まで広がる。

☐ **divert**[dəvə́:t] 動 進路を変える,〈注意など〉をそらす〔それる〕

源 *di*(離れて)+*vert*=「向きを変え離れる」

★ひとりだけ他の人らと違う方向に分かれるイメージ。

☐ **diversion**[dəvə́:ʒən] 名 それる〔そらす〕こと,注意をそらすもの

★「気晴らし」の意味もある。divertimento「嬉遊曲」も同じ語源のイタリア語。

☐ **diverse**[dəvə́:s] 形 多様な

★divertの派生語。

☐ **diversity**[dəvə́:səti] 名 多様性

☐ **biodiversity**[baɪoʊdaivə́:səti]

名 生物多様性　★1985年に作られた語。

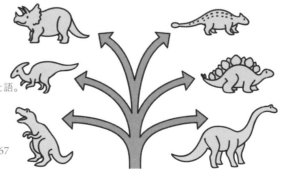

☐ **diversify**[dɪvə́:səfàɪ]

動 ～を多様化する,多角化する

源 *diverse*+*fy*(=make)　*fy*→p.167

☐ **version**[və́:ʒən] 名 変形,異説

☐ **vertigo**[vɚːtɪgòʊ] 名 めまい

★目が**回る**こと

☐ **reverse**[rɪvɚːs] 動 〈裏表/左右/順など〉を逆にする 形 逆の 名 逆

☐ **inverse**[ìnvɚːs] 形 〈位置/向きが〉逆の

◇**inverse proportion**「反比例」

☐ **conversely**[kənvɚːsli] 副 逆に

☐ **convert**[kənvɚːt] 動 ～を転換する(＋into)

源 *con* (ともに)＋*vert*

☐ **advertisement**[æ̀dvətáɪzmənt] 名 宣伝

源 *ad* (に対して)＋*vert*＝「(物に)注意を向けさせるもの」

☐ **aversion**[əvɚːʒən] 名 嫌悪(感)

源 *a* (離れて)＋*vers* ★ この*a*-は*ab*が変化したもの。

☐ **introvert**[ìntrəvɚːt] 形 内向的な

源 *intro* (中へ)＋*vert*

☐ **extrovert**[ékstrəvɚːt] 形 外向的な

源 *extro* (外へ)＋*vert*

☐ **subversive**[səbvɚːsɪv] 形 〈政府など〉転覆をねらう

源 *sub* (下から)＋*vers* (回す)→「ひっくり返す」

☐ **perverse**[pəvɚːs] 形 ひねくれた,変態の

源 *per* (すっかり)＋*verse*＝「(正常から)それた」

☐ **pervert**[pɚːvət] 名 変態

源 *per* (=away)＋*vert*＝「(正常から)それた人」

2

語源編

コラム **宇宙と大学**

universe「宇宙」とuniversity「大学」が似ていると思ったことはないだろうか？ universeは *uni* (ひとつ)＋*verse* (=turn)でturned into one「**ひとつにされたもの**」が原義。すべてをまとめたものが宇宙というわけ。universityも同じ語源で,「(学生たちと教授たちが)ひとつになったもの」という意味。

vis, vid

見える，見る

ラテン語videre「見る，見える」に由来。visはその過去分詞から。view「眺望」，フランス語déjàvu「デジャヴ(déjàすでに＋vu見た)」も同語源。

□ **supervise** [súːpəvàɪz]
動 ～を監視する，監督する
源 *super* (上から)＋*vise* (見る)
★子供を常に監視する親のことをhelicopter parentと言う。

□ **survey** 名 [sə́veɪ] 調査，アンケート
動 [səvéɪ] ①～を見渡す
②～を調査[概説]する
源 *sur* (上から)＋*vey* (見る)　★vid の変形。

□ **visible** [vízəbl] 形 見える　⇔invisible見えない
★「透明人間」はinvisible manだ。　源 *vis*＋*ible* (=able 可能)

□ **visual** [víʒuəl] 形 視覚の

□ **vision** [víʒən] 名 ①視力　②イメージ　③未来像，先見性

□ **revise** [rɪváɪz] 動 ①〈考えなど〉を修正する　②～を改訂する
源 *re* (再び)＋*vise*＝「見直す」

□ **evident** [évədn̩t] 形 明白な
源 *e* (=*ex* 外，完全に)＋*vid*＝「外から丸見え」

□ **evidence** [évədn̩s] 名 証拠　★evidentの名詞形。

□ **vista** [vístə] 名 (きれいな)景色，展望　★イタリア語。

viv, vita

生きる

vivire「生きる」, vita (=life命, 人生) から来た。Vivianという女性の名は「生き生きした」という意味。Viva ～ !は「～が(長く)生きるように!(=Long live ～ !)」の意味から「～万歳!」の意味に。vitaminは生きるのに必要な物質だ。

□**survival**[sɚváɪvl] 名生き延びること 動survive

源 *sur* (越えて) + *vival* (生きること)

□**revival**[rɪváɪvl] 名復活 動revive 源 *re* (再び) + *vive*

□**vivid**[vívɪd] 形鮮やかな(記憶, 描写, 色など)

源「生き生きした」が原義。

□**vivarium**[vaɪvéəriəm] 名ビバリウム(動物を自然に近い環境で飼育する水槽など)

□**convivial**[kənvíviəl] 形陽気な, 友好的な(sociable)

源 *con* (ともに) + *viv* =「人と活動する」

□**vita**[váɪtə] 名履歴書(=curriculum vitae) ★「人生」が原義。

□**vital**[váɪtl] 形①不可欠な ②命にかかわる ③活力がある

□**vivace**[vɪváːtʃeɪ] 副ヴィヴァーチェ, 生き生きと(音楽用語) vivisection→p.249

volve, volu

回転する

「回転する，転がる」の意味。

☐ **involve**[ɪnválv] 動 ～を巻き込む，含む

源 *in*（中へ）＋*volve*

★渦の中に入り込むイメージ

◇**be involved in A**「Aに関わっている」

☐ **revolution**[rèvəl(j)úːʃən] 名 ①革命　②回転，公転

★「社会をひっくり返すような大変革」の意味。

源 *re*（＝again）＋*volve*

☐ **revolve**[rɪválv] 動 回転する

☐ **revolver**[rɪválvə] 名 弾倉回転式ピストル

☐ **revolt**[rɪvóult] 動 そむく，反乱をおこす

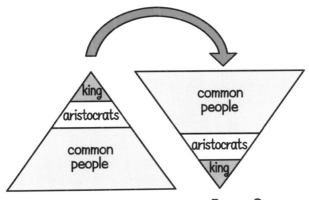

revolution

word family

☐ **volume** [váljəm] 名 ①体積, 大きさ ②(書物の)巻, 巻物, 本
　　源 「巻物」→「本」→「本の大きさ」と変化

☐ **evolution** [èvlúːʃən] 名 進化, 発展, 展開　動 evolve
　　源 e (=ex 外へ) + volu = 「巻物を広げる」→「展開する」

☐ **convoluted** [kánvəlùːtəd] 形 入り組んだ, 複雑な
　　源 con (いっしょに) + volu = 「多くの物を巻き込んだ」

┌ コラム ┐ **自動車会社とプランクトン**

スウェーデンの自動車会社の名前ボルボ(**Volvo**)の語源も「回転する」だ。最初はボールベアリングを作る会社にするつもりだったのでこんな名前になったという。一方, プランクトンの「ボルボックス」(**volvox**)も同じ語源。くるくる回りながら泳ぐので和名はオオヒゲ**マワリ**。

wr

ねじる

*wr*で始まる語には「ねじる，ゆがめる」というイメージがあるものが多い。wrongは原義「ねじれた」から「間違った」の意味になった。一方right「正しい」の原義は「まっすぐ」だ(right→p.91)。

□ **wring**[ríŋ] 動 ～をしぼり取る，しぼる，ねじる
□ **wrinkle**[ríŋkl] 名 しわ

★皮膚をねじるとしわができる

□ **wrist**[ríst] 名 手首

源 「ねじれる関節」の意味。

□ **wrench**[réntʃ] 動 ～をねじる，もぎとる 名 レンチ
□ **writhe**[ráɪð] 動 身をよじる
□ **wriggle**[rígl] 動 体をくねらせる，のたくる
□ **wry**[ráɪ] 形 しかめた，ゆがんだ ②ひねくれた，皮肉っぽい

おわりに

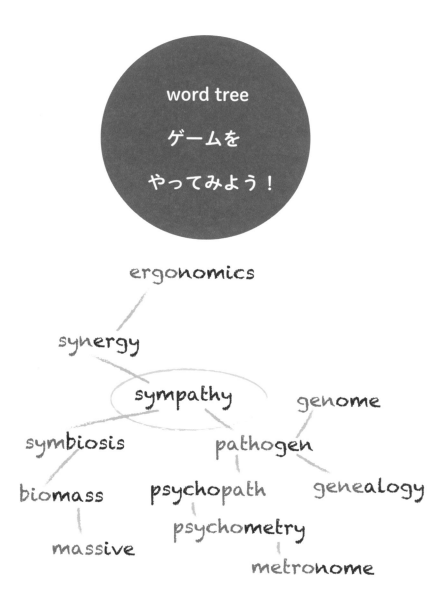

word tree
ゲームを
やってみよう！

ergonomics

synergy

sympathy

genome

symbiosis

pathogen

biomass

psychopath

genealogy

massive

psychometry

metronome

　語源でおぼえた単語を使った,こんなゲームはいかがでしょう。おぼえた知識のリンクを強化するのにぴったりだと思います。

①まず,スタートの単語を決めます。

　ここでは,なんとなくsympathyにしてみました。

②語根(語源の部品)はなにか考えます。

　この語は*sym*(=*syn*)+*pathy*でできています。

③それぞれの語根を持つ語を考えて,浮かんだらまわりに書いていきます。

　*syn*に対してはsynergyとsymbiosisが,*pathy*についてはpathogenとpsychopathが浮かんだので書きました。**同じ語根どうしは,線で結びます。**次に,synergyの*ergy*と同じ語根を持つ語を考えます。ergonomicsが浮かんだので書きました。symbiosisには*bio*を含むbiomassを書きます……というような感じでどんどん浮かんだ語をつけ加えて**木の枝のように成長させて**みてください。

　ひとりでやってもおもしろいですが,こんなマニアックなゲームをやる気がある友だちがいるならスクラブルのように2人とか3人でやってもいいでしょう。

　ぼくはこの遊びをword treeと勝手に名づけていますが,他に名前があるのかもしれません。

P.S. この本の中で,みなさんは今まで見たことがないようなイラストやスキーマ(図式)にいくつも出会ったことでしょう。

それらはぼくが独断だけで作ったものではありません。native speakerたちと100時間近くにおよぶディスカッションを重ね,しだいに浮かんできたり,突然ひらめいたりしたイメージや考え方を視覚化し,それをnative speakerたちに見てもらってはまた修正するという作業によって生み出されたものです。

単語を無意識に使っている彼らに単語の意味を意識的にイメージ化してもらうのは,時には困難をともなうことでしたが,発見に満ちた非常に興味深い作業でもありました。この本を書くにあたっては多くの本や辞書を参考にしましたが,最もよく使ったのはOED (Oxford English Dictionary)とThe Chambers Dictionary of Etymologyでした。

この本が,みなさんが楽に,楽しく,好奇心を持って英単語をマスターしていくヒントになればうれしいです。

最後になりましたが,この本の作成にあたり,お世話になったみなさまに対してお礼の言葉をここに記したいと思います。

この本は2年ほど前,明日香出版社の藤田知子さんにおさそいをいただいて書き〔描き〕はじめました。藤田さんには完成の日まで長い間おつきあいいただき,深く感謝しております。また本書の中核であるぼう大な量のすばらしいイラストを描いてくださった河南好美先生,本当にありがとうございました。それから英単語の意味・用法やイメージについてぼくのたくさんのややこしい質問に答え,長い時間ディスカッションにつきあってくださった阪南

大学・GABA講師のAndrej Krasnansky先生, 同じくGABA講師のLindsey Schilz先生, Paul Setter先生, Richard Jacobs先生, また多義語・基本語の用例を綿密にチェックしてくださり, たくさんの貴重なアドバイスをしてくださったぼくの大学時代の恩師, 元大阪大学教授のStephen Boyd先生, 本当にありがとうございました。

I really appreciate you guys' help!

2020年9月   刀祢雅彦

［著・イラスト原案］

刀祢雅彦（とね・まさひこ）

大阪大学大学院英文学修士。英語学専攻。駿台予備学校講師。前置詞の働きを解き明かす「SPO 理論」，「時制の見える化」などを提唱。

主な著書に『前置詞がわかれば英語がわかる』『見える英文法』（以上 ジャパンタイムズ），『システム英単語』『システム英熟語』『システム英単語 Premium』『短期攻略 大学入試共通テスト リスニング』（以上 駿台文庫），『アップグレード英文法語法問題』（数研出版）。

CNN English Express（朝日出版），NHK テレビ英会話テキストなどにも執筆。イラストレーター。

blog：「spotheory の日記」

イラスト：河南好美
英文チェック：Stephen Boyd

丸暗記なしで身につく　見る英単語

2020 年　9 月　26 日　初版発行
2021 年　10 月　20 日　第 5 刷発行

著　　　者　刀祢雅彦
発　行　者　石野栄一
発　行　所　明日香出版社
　　　　　　〒112-0005　東京都文京区水道 2-11-5
　　　　　　電話　03-5395-7650（代表）
　　　　　　https://www.asuka-g.co.jp

印　　　刷　株式会社フクイン
製　　　本　根本製本株式会社

©Masahiko Tone 2020 Printed in Japan　ISBN 978-4-7569-2107-9
落丁・乱丁本はお取り替えいたします。
本書の内容に関するお問い合わせは弊社ホームページからお願いいたします。

ISBN978-4-7569-2059-1
A5 並製 440 ページ
2019 年 11 月発行
本体価格 1800 円 + 税

発売 2 か月で驚異の 5 万部突破！
「目からウロコ」「高校生の頃にこの本が出ていたら、
人生変わっていた」と多くの支持を得ています！
英語を学ぶ人が知っていると役立つ英文法の知識を
「認知言語学」を下敷きに 100 項まとめました。
「どうしてここは ing を使うのかな」「ここは for かな、
to だっけ」「これは過去形で語るといい案件かな」
英文法のルールを丸暗記するだけの詰め込み勉強だ
と、いつまで経っても英語が「使えません」。

「どういう気持ちからこう話すのか」が体感できると
英語で実際に話し、書く力が飛躍的に伸びます。

この本では、「なぜ」そうなるのかを認知言語学的に
解説しているので、英語の気持ちと型が理解でき、
相手にしっかり伝わる英語を使えるようになります。
著者のわかりやすい解説に加え、洗練されたカバー
や本文のデザイン、理解を助けるイラスト等も高評
価。

受験英語から脱皮して
「どう話すか」ではなく
「何を話すか」を身につけましょう！

文法書の新定番が、ここにできました!!

「ここまできちんと学習者の都合を理解して構成している本は初めて見た」
「なんという圧倒的なクオリティの高さか、と感嘆しっぱなし」

そう読者を歓喜させる、極上のリスニング・トレーニング本ができました。

本書では、**音声学の知識**を利用して、「聞きながら話し」、「発音しながら聞く」ことをバランスよく組み込み、英語力を鍛えられるように工夫しました。
つまり、**リスニングの教材であるとともに、発音の教材でもある**のです。
本書にある 100 の法則 (Must) をしっかり学習すれば、「グローバル時代の英語」に対応できるようになっている点が、本書の最大の特徴です。

また、単語レベルから短文、著名人によるスピーチまでを練習用教材として扱っているので、基礎レベルから上級レベルに対応しています。
学び直しにも最適。
法則が 100 あるので、少しずつコツコツ無理なく学習できます。

あなたの英語力向上に、ぜひ。

ストーリーの中で感情とともに覚える英単語。
著者は、あの『コズミック』で知られる人気推理
小説家の清涼院流水さんです。

■小説を読む＜ついで＞に単語を覚えられるので、
　楽しみながら学習。
■感情と一緒に単語を心に刻み込むから、記憶に
　残る
■見開き２ページの日本語で書かれたストーリー
　に英単語が差し挟まれているので、初見の単語
　でも意味がある程度類推しながら読める

情景やその時の感情と一緒に覚えるのが効率的な
記憶法の一つと言います。
「感動する／悲しい文章の中に覚えるべき英単語を
差し挟み、感情に訴えて覚える」新しい単語本で
す。

見開き２ページで完結するストーリー１話ごとに、
10個の英単語を学習。
ストーリー５話ごとに関連する単語の読み方、意
味、用例などがまとめて紹介されており、本書を
通して3000語を身につけられます。

水色

ISBN978-4-7569-2045-4
B6 並製　368 ページ
2019 年 8 月発行
本体価格 1500 円＋税